W9-ASC-598

Alergias alimentarias

Del huevo a la rinitis, el asma,
el Anisakis, el gluten y los lácteos...

Alergias alimentarias

Del huevo a la rinitis, el asma, el Anisakis, el gluten y los lácteos...

por el Dr. Roberto Pelta

Guías prácticas de 

12

Una Biblioteca de **Manuel Torreiglesias**

Torrelaguna, 60. 28043 Madrid
Teléfono 91 744 90 60
Telefax 91 744 90 93
www.aguilar.es
aguilar@santillana.es

Diseño de cubierta: Más!Gráfica
Serie coordinada por Teresa Migoya
Ilustraciones de Pablo Espada

Primera edición: septiembre de 2007

ISBN: 978-84-03-09802-2
Depósito legal: M-29.032-2007
Impreso en España por Palgraphic, S. A. (Humanes, Madrid)
Printed in Spain

Índice

PRÓLOGO

Cuando protesta el cuerpo

Empiezo con historias de alergias alimentarias, que describe sensacionalmente el erudito doctor Roberto Pelta Fernández, en esta nueva Guía Práctica de Saber Vivir. Allá por 1908 la ya entonces prestigiosa revista médica *The Lancet* divulgó el caso de un muchacho que se ahogaba con ataques de asma cuando comía huevos. Acabaron sanándole de su alergia con pequeñas dosis de huevo crudo, cuya tolerancia gradual entró en armonía con el sistema inmunológico. Fue la consagración de la primera alergia en la literatura médica.

Al Servicio de Alergia del Hospital General Universitario Gregorio Marañón de Madrid llegó un paciente aquejado de pancreatitis aguda, desencadenada por una alergia a la leche. A otra enferma la reacción se la producían los churros, cuando caminaba deprisa después de tomarlos. Y también allí trataron el shock anafiláctico que desarrolló la paciente (dolor abdominal, vómitos, estornudos, tos, urticaria...) y que afecta al 2 por ciento de los alérgicos cuando hacen ejercicio al terminar de comer.

No se sabe si por alergias un emperador chino ya prohibía a las embarazadas disfrutar de marisco 2.500 años a.C. Y tampoco, si pensando en ellas, el médico griego Hipócrates (siglo V a.C.) escribió: «Cuanto más nutras un organismo impuro e intoxicado, más daño le producirás».

Precisamente del griego vienen las palabras alergia *(allos*, «otro», y *ergon*, «desviación del original») y eccema *(ekzeo*, «hacer hervir»).

Estimado lector, el libro del doctor Pelta te resultará una fascinante excursión de cultura, ya seas sanitario o paciente. Se lo agradecerán también sus colegas de profesión.

Aunque no son alergias alimentarias todas las que parecen, los epidemiólogos coinciden en que están de moda y en que no paran de aumentar después del subidón de los últimos veinte años, cuando estas enfermedades se han duplicado. Por esta razón y porque no hay mucho material de divulgación donde consultar, me pareció necesario encargar al eminente doctor esta guía de las alergias alimentarias, que como toda la colección lleva en su espíritu el objetivo de ayudar a los pacientes. Igual que el programa *Saber Vivir* de TVE, nuestras revistas y el Club Gente Saludable.

Somos a la vez fábrica y dueños de nuestras enfermedades. Y tenemos que ponernos a la entera disposición del médico, empezando por contarle toda la información para que pueda sanarnos. Esto es vital en las alergias alimentarias. Lo dice así el doctor Pelta: «Cuando me consultan por brotes repetidos de ronchas e hinchazón en la piel sin una causa aparente, insisto a los pacientes en la necesidad de llevar un diario escrito donde anoten todo lo que comen a lo largo de veinticuatro horas para intentar establecer una relación causa-efecto». Haremos bien ocupando la primera fila del teatro de nuestra salud. Cuando consigamos descifrar los mensajes que sin parar nos manda el organismo, conoceremos los secretos, en este caso alimentarios, para mantenerlo sano y feliz.

El capítulo V «es una pasada», o «está sobrado», como dicen ahora. Viene todo lo que un alérgico necesita conocer del huevo, los lácteos, el *Anisakis*, los cereales y las legumbres, la carne de mamíferos, los frutos y las bebidas. Es como una intensa separata dentro de un compendio. La intolerancia al gluten, una proteína que llevan el trigo, la avena, el centeno y la cebada, o enfermedad celiaca, tiene una exposición sobresaliente.

Nada más empezar a leer el libro me fascinó la página del «puzle inmunológico». ¡Qué compleja es la naturaleza humana! Muy vulnerable y aparentemente poquita cosa, pero a la vez muy sabia y con músculo para defenderse y para tomar el pulso a la enfermedad.

Muy pocas veces conseguimos hacer algo redondo y cabal. A Roberto Pelta Fernández le salió así esta nuestra duodécima Guía Práctica de Saber Vivir. La llenó de altura científica y consiguió hacerse entender. Iréis observando con su lectura que es un gran comunicador. En mi propio nombre y en el de los pacientes que lo van a leer, un grande y sincero agradecimiento público.

Y nos vamos haciendo con ellas, sanándolas, pero qué misteriosas son las alergias. Ya lo adivinó el gran Lucrecio: «Lo que es para algunos alimento puede ser para otros violento veneno».

Estimados alérgicos, podéis estar salvados si hacéis lo que dice el libro.

MANUEL TORREIGLESIAS

Capítulo I

Los orígenes de un problema que va en aumento

Las alergias alimentarias no son algo nuevo. Hagamos un poco de historia

Posiblemente, el testimonio más antiguo sobre este asunto date del año 2500 a.C., en China, cuando el emperador Shen-Nung advertía que las mujeres embarazadas no debían comer carne ni mariscos; los motivos de dicha prevención los desconocemos.

Del Talmud, gran colección de las tradiciones rabínicas, existen dos versiones, la palestina y la babilónica. En el Talmud babilónico se dan instrucciones precisas sobre el modo de combatir una alergia intestinal al huevo, mediante preparaciones adecuadas de clara de huevo. Por su parte, Hipócrates (460-370 a.C.) describió síntomas, como la cefalea, las molestias abdominales y la contaminación de la sangre por bilis después de la ingestión de leche de vaca.

Precisamente, fueron los griegos los que acuñaron la palabra *idiosynkrasía*, que deriva de *idios* («propio») y *krasis* («temperamento»), para referirse a la capacidad del organismo de un determinado individuo para distinguirse de los demás. En nuestros días, el vocablo *idiosincrasia* hace alusión al carácter distintivo propio de un individuo o de una comunidad.

Claudio Galeno de Pérgamo (129-199 d.C.), que fue médico de gladiadores y de cámara del emperador Marco Aurelio, llamó la atención sobre la aparición de síntomas alérgicos después de ingerir leche de cabra. Siglos después, en la Edad Media, se usó el término *antipatía* para designar reacciones adversas a elementos tan variados como las plantas, los animales, los olores o ciertos alimentos.

El francés Jean Anthelme Brillat-Savarin (1755-1826), autor de un famosísimo tratado de gastronomía *(Fisiología del gusto)*, publicado en 1825, algo debía de saber de intolerancias y alergias alimentarias cuando escribió: «La insidiosa reacción prandial que nos impide degustar una buena besamel».

El creador del término *alergia* fue un doctor austriaco con un nombre algo enrevesado, Clemens Freiherr von Pirquet von Cesenatico, nacido en 1874. Su progenitor fue un destacado poeta y autor de obras teatrales, en tanto que su madre pertenecía a un linaje de banqueros sefardíes. Estudió Medicina en la Universidad de Viena, optó por convertirse en pediatra, y su interés por la infancia lo llevó a fundar en la propiedad familiar que poseía la primera factoría que iba a producir leche pasteurizada con un adecuado control de calidad, para su consumo por los niños. En 1906, al introducir Von Pirquet en la literatura médica el concepto de *alergia*, justificaba su aportación con estas palabras: «Necesitamos un nuevo término más general para describir el cambio experimentado por un organismo tras su contacto con un veneno orgánico, bien sea vivo o inanimado. Para expresar este concepto general de un cambio en el modo de reaccionar, yo sugiero el término *alergia*. *Allos* significa "otro", y *ergon*, "una desviación del estado original"»... Continúa siendo un enigma la muerte de Von Pirquet y su esposa, que el 28 de febrero de 1929 fueron hallados sin vida, tras ingerir cianuro.

Fue Charles Robert Richet (1850-1935), un hombre polifacético que además de por la medicina se interesó por disciplinas tan variadas como la historia, la literatura, la sociología, la parapsicología y la psicología, el que acuñó en 1902 el término *anafilaxia*, para expresar que «muchos venenos poseen la notable propiedad de aumentar en lugar de disminuir la sensibilidad del organismo frente a su acción». Dicho vocablo procede del griego *phylax*, que significa «guardián», por lo cual *anafilaxia* se equipararía con «incapacidad para guardarse de algo».

Actualmente, concebimos esa condición como un especial estado de hipersensibilidad debido a la introducción de una sustancia extraña en un organismo vivo que, tras un primer contacto, no origina reacción adversa alguna, pero que después de una segunda exposición dará lugar a una serie de trastornos que pueden poner en peligro la vida del afectado si no se instaura a tiempo el tratamiento preciso. En el capítulo II abordaremos con detalle la anafilaxia, que es la reacción alérgica más grave que puede padecer una persona tras ingerir un alimento al que es alérgica, y cuyo descubrimiento es realmente curioso, como ahora veremos.

Fue en el verano de 1901 cuando Richet y uno de sus colaboradores en el laboratorio de la cátedra de Fisiología que regentaba en París, el zoólogo Paul Jules Portier (1866-1962), fueron invitados por el príncipe Alberto I de Mónaco a participar en un crucero a través del Mediterráneo. Su enorme interés por la oceanografía hizo que promoviese una serie de viajes a bordo del yate *Princesse Alice II*, dotado de laboratorios para llevar a cabo investigaciones marinas. Los dos investigadores se encargaron de estudiar la toxina de las medusas, cuya picadura es muy dolorosa y que le impedían al aristócrata bañarse con tranquilidad en el mar. Constataron que dichos invertebrados marinos se valen de un veneno que secretan sus tentáculos con el cual logran paralizar a sus presas para poder ingerirlas. De regreso a París, siguieron sus experimentos con perros, con el fin de comprobar los efectos de las referidas toxinas, y constataron que cuando pasaban algunos días tras la inyección de la ponzoña, los animales que no habían recibido una dosis letal sobrevivían, pero a partir de entonces se mostraban muy sensibles a pequeñas dosis del veneno y fallecían en tan sólo unos minutos. Cuando Charles Richet recibió en 1913 el Premio Nobel de Medicina, en reconocimiento a sus aportaciones científicas, éstas fueron sus palabras durante la entrega del galardón: «El descubrimiento de la anafilaxia no es, de ninguna manera, el resultado de una profunda reflexión, sino de una simple observación casi accidental; por lo tanto, no tengo otro mérito que el de no haber rehusado ver los hechos que se mostraban ante mí, completamente evidentes». Ya decía otro célebre sabio, también galo, el químico Louis Pasteur, que «en el terreno de la observación, la suerte sólo favorece a las mentes preparadas».

Alergia a los alimentos: un problema frecuente de salud

La epidemiología (de *epi*, «sobre», *demos*, «pueblo» y *logos*, «tratado») es la ciencia que se ocupa del estudio de la frecuencia de las enfermedades en las poblaciones humanas, así como del conocimiento de los factores que definen su expansión y su importancia real. Sirva como dato curioso que el primer estudio epidemiológico relevante fue realizado en 1854 por el médico inglés John Snow (1813-1858), famoso en su época porque anestesió a la reina Victoria durante uno de sus partos, para que a partir de entonces pasase al almacén de la historia el principio bíblico de «parirás con dolor». Pues también fue el mismo galeno el que durante una epidemia de cólera que asoló Londres en aquella época, pudo constatar el origen de la infección, ya que observó que el número de casos era mayor en las áreas de la metrópolis que recibían el suministro de agua a través de unas compañías que la tomaban de la desembocadura del Támesis, donde a su vez vertían las alcantarillas. La epidemiología moderna tiene en cuenta la influencia de distintos factores, como la edad, el sexo, las condiciones socioeconómicas y otros muchos.

Es un hecho que se puede constatar a escala mundial que las enfermedades alérgicas se han duplicado en los últimos 20 años, y se sitúan en el cuarto lugar de las que causan patología en los seres humanos, según datos de la Organización Mundial de la Salud. Pero además, la **alergia alimentaria** es, a menudo, la primera manifestación de este tipo de procesos en la infancia, y sabemos los especialistas que predispone al desarrollo posterior de diversos cuadros respiratorios (rinitis, asma...) por la inhalación de sustancias que circulan en el aire, como los pólenes, o que habitan en algo tan común como el polvo doméstico (nos referimos a unas arañas microscópicas llamadas ácaros). Sin embargo, no disponemos hasta la fecha de estadísticas fiables en relación a la frecuencia de las reacciones adversas a los alimentos, tanto las de origen alérgico como las que no lo son.

Centrándonos ahora en España, existen suficientes evidencias para cifrar en un 2,5 por ciento de la población adulta y en un 7,5 por ciento de los niños durante el primer año de vida los afectados por reacciones alérgicas a los alimentos. Al menos un 3,5 por ciento de los pacientes que acuden a las consultas de Alergología en nuestro país muestran sensibilización a algún alimento. En Europa se estima que la prevalencia de alergia a alimentos en adultos es también de un 2 por ciento, y que en los niños ronda entre el 6 por ciento y el 8 por ciento, por lo que nada nos aleja en este aspecto de nuestros vecinos. Estudios llevados a cabo en varios países demuestran que cerca del 2,5 por ciento de los recién nacidos experimentan reacciones alérgicas a las proteínas de la leche de vaca durante el primer año de vida. Por lo que respecta al huevo, que después de la leche suele ser el alimento que más alergias causa, los informes disponibles testimonian una frecuencia de al menos un 1,5 por ciento.

En efecto, el 70 por ciento de las reacciones alérgicas a los alimentos suele verse en los primeros años de vida, y tan sólo serán experimentadas por un 10 por ciento de sujetos a partir de los 8 años. Entre los pacientes con antecedentes familiares de procesos alérgicos, estos porcentajes pueden aumentar a más del 20 por ciento. Aproximadamente el 30 por ciento de los niños con una forma especial de eccema o inflamación de la piel que suele comenzar en la infancia, la llamada **dermatitis atópica,** tienen alergia a alimentos, y también el 6 por ciento de los niños que consultan al médico por padecer asma bronquial.

Aunque la alergia a alimentos puede comenzar a cualquier edad, es más frecuente que se inicie durante los primeros años de la vida. En cuanto a las reacciones graves y fatales, pueden evidenciarse a cualquier edad, incluso con motivo de la primera exposición a un alimento, pero en general se desarrollan con mayor frecuencia en adolescentes y adultos jóvenes que son asmáticos cuando comen frutos secos o mariscos. En la Universidad de Colorado el doctor Bock estimaba en la década de 1990 que ocurrían 1.000 casos por año de reacciones severas inducidas por alimentos; de ellas, las que resultaban fatales afectaban a pacientes con antecedentes personales o familiares de procesos alérgicos, sobre todo si eran asmáticos.

Lógicamente, son los alimentos que más se consumen en un entorno geográfico concreto los que tienen más probabilidades de ser causantes de una reacción alérgica. Un país como el nuestro, donde el consumo de pescado es muy elevado, registrará muchas más reacciones adversas, tanto alérgicas como no alérgicas, por la ingesta de pescados, crustáceos y moluscos. Sin embargo, en los últimos años también ha aumentado la sensibilización a alimentos que se han comenzado a comer con más asiduidad, como puede ser el caso del kiwi y otras frutas tropicales. Resulta evidente que nuestros hábitos cambian al compás de los movimientos migratorios y de la universalización de las costumbres, que son fenómenos propios de un mundo más globalizado como el actual.

El paciente alérgico ¿nace o se hace?

La alergia puede afectar a diversos órganos del cuerpo, y en cada uno de ellos produce unos síntomas típicos. Se ha visto que en niños predispuestos, es frecuente que comience con manifestaciones en la piel (eccema con aparición de placas enrojecidas, que se descaman y causan mucho picor) o bien digestivas (náuseas, vómitos, diarrea...), y con el tiempo puede suceder que den paso a una afectación de los bronquios (dificultad respiratoria, tos y pitos en el pecho, característicos del asma) y de la nariz y los ojos (picor, estornudos, destilación acuosa, lagrimeo...). Esta evolución de los síntomas en el transcurso de la vida del paciente alérgico es lo que se denomina *marcha alérgica*. Efectivamente, las manifestaciones alérgicas más precoces en la vida del niño son las secundarias a las que pueden causar los alimentos, y aunque la norma es la resolución espontánea, también pueden ser un terreno abonado para la aparición de nuevas sensibilizaciones. Sin embargo, en la edad adulta, si bien pueden presentarse pequeños desórdenes en el funcionamiento digestivo que obligan a plantearse un origen en la existencia de algún tipo de alergia alimentaria, suelen predominar los síntomas extradigestivos, fundamentalmente cutáneos, como la urticaria, y menos frecuentemente los de tipo respiratorio. En cuanto a la dermatitis atópica que aparece generalmente en un niño con antecedentes familiares de procesos alérgicos, es conocido que existe un mayor riesgo de evolución posterior hacia el asma bronquial. No obstante, el papel que juegan los alimentos en la génesis de ese tipo de eccema es un tema muy controvertido. La rinitis alérgica, que es un proceso inflamatorio de la mucosa nasal por exposición a diversos agentes respirables como el polen, el polvo doméstico o la humedad ambiental (favorece la proliferación de mohos, que son los hongos microscópicos), es parte de la marcha alérgica. La aparición de aquélla es poco significativa antes de los 2 años; su frecuencia se incrementa de forma gradual desde el momento en que el niño comienza a acudir a la guardería o a la escuela. Como existe una gran similitud entre la mucosa nasal, que reviste el interior de las fosas nasales, y la bronquial, encargada de tapizar los bronquios por dentro, la asociación rinitis-asma suele ser la norma. Por lo tanto, no resulta nada arriesgado considerar la alergia alimentaria que aparece en las primeras etapas de la vida, sobre todo cuando el huevo es el implicado, como un factor de riesgo para el desarrollo posterior de rinitis, y en el caso de que surja aquélla, para que un tiempo después debute el paciente con asma.

Con independencia de que un determinado individuo pueda tener un condicionante hereditario lo suficientemente fuerte para desarrollar una alergia alimentaria, existen otros muchos factores que también hay que tener en cuenta, como veremos a continuación.

La edad temprana

Es uno de los condicionantes que más influyen en la expresión de la alergia e intolerancia alimentarias, de tal forma que en la mayoría de los casos el niño sensibilizado a un alimento dado comienza con un cuadro digestivo en los 12 primeros meses de vida, mientras que el eccema tiene un inicio algo más tardío, y en lo que respecta a la rinitis y el asma, van a presentarse en edad escolar. Este hecho está en relación con la falta de madurez existente en las funciones del tubo digestivo de los más pequeños. También la inmadurez de la función del hígado del recién nacido puede contribuir a incrementar la susceptibilidad para el desarrollo de fenómenos alérgicos en el aparato digestivo.

Para que tenga lugar la digestión de los alimentos en condiciones óptimas se precisa que además de un baño de ácido clorhídrico en el estómago aquéllos puedan ser troceados adecuadamente, mediante la acción de unos fermentos o enzimas. Sucede que la inmadurez de las enzimas del estómago y del páncreas en los neonatos permite que una serie de proteínas alimentarias escasamente degradadas puedan atravesar la mucosa intestinal. Asimismo, esta última es mucho más permeable en los bebés que en etapas posteriores de la vida, lo que favorece, en consecuencia, la absorción de sustancias presentes en los alimentos que tienen facilidad para causar reacciones alérgicas. También la inmadurez del sistema inmunológico, que es un conjunto de células y proteínas, como los linfocitos y los anticuerpos, va a contribuir notablemente. En efecto, existe un tipo de anticuerpo que es la Inmunoglobulina A (IgA), que se encuentra en las lágrimas, la saliva y la mucosa del tubo digestivo. Hasta el mes de vida no se puede detectar en las heces la IgA, y alcanza la concentración propia del adulto cuando el niño tiene 2 o 3 años, según los casos. La IgA cumple una función protectora, al evitar que la mucosa intestinal pueda resultar dañada por la acción de las enzimas que forman parte de los jugos digestivos y que hemos comentado con anterioridad. De aquí la ventaja de la lactancia materna, puesto que la leche de mujer es rica en IgA y en una serie de componentes que van a contribuir a la maduración del tracto gastrointestinal. Cuando, por el contrario, el niño es alimentado con leche en polvo, se favorece el paso de un mayor número de proteínas extrañas a través de esa barrera intestinal deficiente. Al fin y a la postre nosotros, como mamíferos que somos, guardamos una estrecha dependencia materna tras el nacimiento, al alimentarnos de un modo natural de la leche que se elabora en las glándulas mamarias de la mujer. Hoy en día se vive una crisis en este sentido, motivada en gran parte por la necesaria incorporación de la mujer a la vida laboral. La aparición de las *leches artificiales maternizadas* desterró la figura de la nodriza o *ama de cría*, que era una pieza clave en la sociedad decimonónica. Por aquel entonces, las familias acomodadas consideraban que el hecho de que la mujer diese de lactar a su propio hijo no resultaba en modo alguno apropiado, como así lo expresa un personaje de una novela de Pérez Galdós: «No debe exponerse mi esposa a los peligros y pejigueras de la lactancia».

Debido a tales creencias, los más pudientes contrataban los servicios de una nodriza en su propia casa, pero en algunos casos llegaban a enviar a sus hijos al campo para ser cuidados por otras mujeres, por tener el falso convencimiento de que la lactancia podía perjudicar la salud de las madres. Pero si la mujer recién parida se veía en la obligación de trabajar, recurría a las llamadas *nodrizas en casa ajena*, e incluso se reclamaban nodrizas para alimentar a los niños huérfanos. Cada inclusa tenía contratadas en sus dependencias nodrizas fijas, pero a su vez disponían de otras que recogían allí a los niños para criarlos en sus casas, a cambio de la correspondiente cantidad de dinero. Dichas féminas eran examinadas por un médico y la superiora de la inclusa, para seleccionar a las que fuesen jóvenes y estuviesen sanas y robustas; excluían a las que habían tenido abortos, por considerar que dicha eventualidad podría haber alterado la calidad de su leche.

Pero el daño de esta especie de compuerta natural puede ocurrir por otros motivos a lo largo de la vida; por ejemplo, como consecuencia de infecciones intestinales y fenómenos inflamatorios. Para llamar la atención sobre la importancia de una barrera intestinal alterada por la inflamación mantenida, se ha descrito el llamado *leaky gut syndrome* (síndrome del intestino agujereado), que favorece la absorción de ciertos componentes de los alimentos que pueden causar no sólo reacciones alérgicas sino otros muchos problemas de salud.

El momento del primer contacto del organismo con un alimento determinado

Es lo que puede suceder cuando en la maternidad se le suministra al recién nacido un biberón de leche de vaca, pero que luego en su domicilio va a continuar con lactancia materna. Esa introducción precoz de un alimento muy rico en proteínas en un aparato digestivo inmaduro, como ya comentamos anteriormente, puede dejar sensibilizado al bebé a la leche. Cuando meses después la madre ya no tiene leche suficiente o debe comenzar a trabajar y le ofrece un biberón de leche de vaca, puede desencadenarse la reacción alérgica.

La malnutrición

Se calcula que a lo largo de su vida el ser humano puede llegar a ingerir hasta cien toneladas de alimentos. A través de la boca penetra en nuestro organismo el mayor número de sustancias con capacidad potencial para causar una reacción alérgica. La única forma de hacer frente a un ataque tan continuado de agentes ofensores es que nuestras defensas se hallen indemnes. Una nutrición deficiente no sólo nos predispone al padecimiento de infecciones, sino que además hace que nuestras funciones corporales decaigan. Es lo que sucede en niños malnutridos, en los cuales se pierde el papel protector de la mucosa intestinal y disminuye la efectividad de las enzimas digestivas para cumplir su función; además, también se altera la respuesta del sistema inmunitario, de manera que pueden pasar de un estado de tolerancia al polo contrario, con la consiguiente aparición de alergias alimentarias. Sin embargo, existen algunos aspectos oscuros en este asunto, pues en teoría la malnutrición no debería predisponer al padecimiento de procesos alérgicos, habida cuenta de que en las zonas más desfavorecidas del planeta aquéllos son mucho menos frecuentes que en Occidente. Hay que tener en cuenta que en las zonas más civilizadas del globo terráqueo ha crecido considerablemente el consumo de alimentos que contienen aceites vegetales, ricos en ácido linoleico y otros similares (los llamados por los expertos en nutrición *omega 6)*, mientras que ha disminuido bastante la ingestión de aceite de pescado, que abunda en ácidos grasos poliinsaturados *(omega 3)*. Atrás quedó una época en nuestro país en que a los más pequeños se les daban suplementos de aceite de hígado de bacalao, para prevenir el raquitismo, pues a ello obligaban las carencias derivadas de la dura posguerra. Al hilo de esta eventualidad, sabemos que los niños que mantienen una dieta rica en pescados azules tienen un riesgo menor de sufrir enfermedades alérgicas.

Las infecciones gastrointestinales

La aparición de gastroenteritis, que se manifiesta por vómitos y diarrea, debido generalmente a la penetración de algún agente infeccioso en el tubo digestivo a través del agua de los alimentos, es relativamente frecuente en el lactante. Los pediatras tienen constancia en su práctica diaria de que no es inhabitual que aparezca una intolerancia o una alergia a las proteínas de la leche de vaca después de que el niño haya padecido una gastroenteritis. La inflamación intestinal que se genera durante el referido cuadro puede hacer que el organismo se muestre más sensible para que el pequeño paciente comience a dejar de tolerar la penetración de dicho alimento.

La frecuencia del consumo del alimento

Va a depender de la edad y de los hábitos nutricionales de una determinada población. Así se explica que en los países escandinavos la alergia al pescado, que se consume en abundancia sobre todo en forma de ahumados, sea mucho más frecuente que en Norteamérica, donde impera el cacahuete.

ASÍ SE DESARROLLA UNA REACCIÓN ALÉRGICA: LA COMPLEJIDAD DEL PUZLE INMUNOLÓGICO

Fue Marco Anneo Lucano, nacido en noviembre del año 39 d.C. en Córdoba, el primero que empleó el término *immunes* para describir la resistencia a la picadura de serpiente de una tribu norteafricana, y lo hizo en su célebre poema épico *Farsalia*. A su vez, durante el Imperio Romano la voz latina *immunitas* hacía referencia a la exención por parte de un individuo de un servicio o de un impuesto. En la actualidad, llamamos *inmunidad* a la insensibilidad relativa de una persona o animal para desarrollar una infección o frente a los efectos nocivos de ciertas sustancias. Ciertamente, la naturaleza ha dotado a los seres vivos de un complejo mecanismo cuya misión es la defensa constante de su integridad: se trata del sistema inmunológico.

En realidad, el cuerpo humano podría compararse a un castillo que, asediado continuamente por feroces enemigos (los microbios y otros agentes extraños), trata de defenderse. Pero puede ocurrir que la respuesta de nuestras defensas sea excesiva, con lo cual aparece una reacción de hipersensibilidad; la más conocida, la alergia.

Los seres humanos poseemos un tipo de células que cuando circulan por el torrente sanguíneo se llaman basófilos y si permanecen fijas en determinados tejidos, como los de la mucosa respiratoria, la mucosa digestiva o la piel, se denominan mastocitos. Dichas células albergan en su interior una serie de gránulos que, a su vez, son liberados fuera del citoplasma cuando un tipo especial de anticuerpo (proteína especializada en la defensa del organismo), llamado Inmunoglobulina E (IgE), reacciona con sustancias capaces de fijarse a la superficie de los basófilos y los mastocitos, que son los que se conocen como alérgenos (en el caso de los alimentos suelen ser proteínas). La IgE normalmente nos protege contra los parásitos, pero en la población alérgica se dedica a plantar batalla frente a sustancias aparentemente inocuas como los pólenes, los alimentos, etcétera.

El proceso alérgico da comienzo cuando un alérgeno produce grandes cantidades de IgE, que se depositan en la superficie de los dos tipos celulares antes nombrados. En un nuevo contacto con aquél, se iniciará la liberación de los productos químicos contenidos en los gránulos del citoplasma de dichas células, de los cuales el más conocido es la histamina, pero existen muchos más. Esos agentes van a producir la dilatación de los vasos capilares y harán que se hinchen los tejidos (si esa inflamación se desarrolla en la piel surgirá una erupción de ronchas o habones, similares a los que originan los mosquitos cuando nos pican), que se contraigan los músculos de los bronquios y se produzca asma, al dificultarse el paso del aire, o que aumente la mucosidad nasal, con lo cual se irritarán y obstruirán las fosas nasales (rinitis). Cuando la reacción cede por sí sola o al menos se aminora sin la ayuda de determinados medicamentos, como pueden ser los antihistamínicos, aparentemente el sujeto que padece la reacción alérgica cree que ya ha pasado la tempestad. Pero el periodo de tregua es sólo breve, y lo peor puede estar aún por llegar. En efecto, horas más tarde suele desencadenarse una segunda fase de la respuesta alérgica. Con motivo del fenómeno inflamatorio que se ha generado, el aflujo de sangre a la zona afectada va a ser grande, y atraerá una serie de células que se van a fijar en la misma. Son los llamados eosinófilos, a los que tendremos ocasión de volver a referirnos en el capítulo IV del libro, al hacer hincapié en que «no es alergia todo lo que parece». Esas células, al igual que les sucede a los basófilos y a los mastocitos, están repletas de gránulos con diversas sustancias químicas en su interior. Algunas de ellas van a potenciar la inflamación que se generó en un primer intento del organismo para defenderse de la agresión que ha motivado su desequilibrio, y reaparecerán los síntomas incluso con más violencia. Es la que los alergólogos llamamos *fase tardía de la reacción alérgica*, que puede darnos una explicación de por qué un empleado de una panificadora que se ha ido haciendo alérgico a las harinas de cereales por la inhalación continuada de las mismas durante su actividad laboral y padece asma bronquial, horas después de haber acabado el trabajo, cuando descansa tranquilamente en su domicilio, se ve asaltado nuevamente por los accesos de tos seca, dificultad respiratoria y respiración silbante característicos de su enfermedad. Es la ventaja de la cortisona, un tipo de medicamento que, al igual que los antihistamínicos, es muy utilizada para tratar las reacciones alérgicas, pues a diferencia de los segundos, no sólo actúa para contrarrestar la fase inmediata de la reacción alérgica sino también la que puede aparecer horas después de haber sufrido el contacto con el alérgeno. Esta doble reacción del organismo nos explica también por qué un paciente que en el transcurso de una comida manifestó unos síntomas tan leves como un pequeño picor en la boca o en la piel, cuando horas después comienza con manifestaciones alérgicas más floridas puede no asociarlas a la ingestión de un determinado alimento. Por eso los alergólogos les insistimos a los pacientes, cuando nos consultan por brotes repetidos de ronchas o hinchazón en la piel sin una causa aparente, sobre la necesidad de llevar un diario escrito donde consignen todo lo que comen a lo largo de las

24 horas del día, para intentar establecer una relación causa-efecto. Ahora bien, también hemos de reconocer que en la mayoría de estos cuadros de urticaria crónica, en los que tanto el paciente como su médico se esfuerzan en buscar la posible influencia de algún factor externo, no suele descubrirse una causa alérgica.

Capítulo II

Cómo se manifiestan las alergias alimentarias

Los síntomas clásicos

Los principales órganos involucrados en las reacciones alérgicas a los alimentos son el tubo digestivo y la piel. Ello obedece a que en ambos abunda un tipo de células que juegan un papel decisivo en la aparición de las reacciones alérgicas, las llamadas *mastocitos*, descubiertas en 1877 por el bacteriólogo alemán Paul Ehrlich (1854-1915). Esas células almacenan en su interior histamina, que a su vez será la responsable, en gran parte, de que aparezcan síntomas tan característicos de los procesos alérgicos como el picor. Náuseas, vómitos, dolor abdominal y/o diarrea de aparición brusca, pueden ser manifestaciones aisladas de una alergia alimentaria o es posible que se asocien a otros síntomas. Mientras que en los niños mayores y en los adultos son raros los síntomas exclusivamente digestivos, en los lactantes resultan ser los más frecuentes.

El enrojecimiento de la superficie cutánea, junto con la urticaria y el angioedema, que es una tumefacción de la piel similar a las ronchas pero que afecta a capas más profundas, son las manifestaciones más comunes de la alergia a los alimentos. Fue el romano Aulus Cornelius Celsus (53 a.C.-7 d.C.) el primero que comparó una erupción cutánea que ocasionaba picor y sensación de ardor con las lesiones que se originaban en la piel tras el contacto accidental con las ortigas *(Urtica urens)*. En efecto, estas plantas poseen unos pelos que recubren sus hojas y que originan unas elevaciones características en la piel con mucho picor, que los pacientes suelen llamar ronchones o habones. Pero la descripción más detallada de este tipo de lesiones no tuvo lugar hasta que un dermatólogo inglés llamado Robert Willan publicó en 1808 el libro *Sobre las afecciones cutáneas*, en el que llamaba *roncha* a «una elevación redonda o longitudinal de la piel, con su zona más elevada de color blanco, no conteniendo fluido ni tendiendo a la supuración, que tiene carácter transitorio». Este galeno trabajaba en un dispensario londinense atendiendo a enfermos de baja extracción social, y precisamente se interesó por la urticaria debido a que otro colega, el doctor Thomas Masterman Winterbottom (1766-1859), le dirigió una carta en la que le refería su preocupación porque él mismo desarrollaba dicha erupción acompañada de otros síntomas al comer almendras dulces. Merece la pena por su exhaustividad reproducir ahora las palabras de este último, que denotan el pánico que puede sobrecoger a una persona cuando padece una reacción grave de tipo alimentario: «La primera vez, aun después de no haber comido una cantidad excesiva, sufrí náuseas, molestias y presión en el estómago y en los intestinos, gran desasosiego y una sensación progresiva de calor. Estos ataques fueron seguidos pronto de una hinchazón de la cara, sobre todo de los labios y la nariz... Experimenté, además, una comezón desagradable en el cuello, que provocó una tos molesta y la contracción de las fauces, con la amenaza de asfixia. También la lengua se hinchó y se volvió más rígida, lo que sólo me permitía hablar despacio y balbuceando...».

EL SÍNDROME DE ALERGIA ORAL O POR QUÉ LOS ALÉRGICOS AL POLEN SON MÁS PROPENSOS A LAS ALERGIAS ALIMENTARIAS

Ciertas molestias que aparecen en la boca y en la garganta tras el contacto con un determinado alimento al que una persona es alérgica es lo que se conoce como **Síndrome de Alergia Oral** (SAO).

En la mayoría de los casos, los síntomas quedan confinados en esa área, y pueden derivar más raramente a la aparición de otras manifestaciones alérgicas en zonas del organismo alejadas de la boca. Consisten en la aparición inmediata de picor y/o hinchazón de los labios, de la lengua, del paladar y de la garganta, a veces acompañados de enrojecimiento de la región peribucal, que gene-

ralmente se resuelven con rapidez de una manera espontánea. Entre el 25 por ciento y el 50 por ciento de los pacientes alérgicos al polen reconocen, a través de su sistema inmunológico, una serie de proteínas presentes no sólo en el polen, sino también en frutas o vegetales. Puesto que aquéllas son sensibles a la acidez característica del estómago humano y al calor, no son capaces de dar lugar a reacciones alérgicas si se cocinan los alimentos implicados en vez de comerlos crudos.

Los principales alimentos que causan SAO son las frutas y las hortalizas. En los países nórdicos ocurre con la manzana en los alérgicos al polen de abedul, mientras que en los mediterráneos, como el nuestro, se presenta en individuos alérgicos al polen de gramíneas y frutas del tipo del melocotón. La especial sensibilidad al calor de dichas proteínas puede explicar algunos hechos aparentemente enigmáticos, como es el caso de que un sujeto alérgico a la manzana cruda pueda tolerarla asada.

Sabemos que un 40 por ciento de los pacientes alérgicos a los pólenes (de cualquier tipo), y hasta un 70 por ciento de los que están sensibilizados al de abedul, presentan SAO por frutas y hortalizas. Se piensa que el polen sería el agente sensibilizante primario y que posteriormente se desarrollaría la alergia alimentaria. Hoy en día, sabemos que las plantas pueden responder frente al estrés que les supone la aparición de determinados agentes agresores en el medio ambiente produciendo una serie de proteínas.

LA URTICARIA Y EL ECCEMA DE CONTACTO

Es frecuente que los padres de los lactantes que manifiestan una alergia alimentaria a huevo, leche y frutas se den cuenta del problema por la aparición de ronchas exclusivamente alrededor de la boca.

También se ha descrito este tipo de erupción, que se llama **urticaria de contacto**, con pescado, mariscos y harinas en niños mayorcitos, y concretamente el pescado y los mariscos pueden inducirla incluso a través de utensilios contaminados (cubiertos, platos, servilletas...) o de forma indirecta por medio de familiares que han ingerido el alimento (besos, manos...).

La palabra *eccema* (o *eczema)* es de origen griego y deriva del verbo *ekzeo*, que significa «hacer hervir». Hace alusión a la aparición de vesículas (pequeñas elevaciones de contenido líquido) o de ampollas en la piel, como sucede con las burbujas cuando calentamos un líquido.

A su vez, dermatitis y eccema de contacto son sinónimos, y en el caso de que su origen sea una alergia alimentaria, es más frecuente en adultos en relación con el trabajo (ajo y verduras en amas de casa, harina de trigo y aditivos presentes en la misma en panaderos, etcétera).

Para el tratamiento del eccema atópico, una inflamación de la piel propia sobre todo de la infancia, que se caracteriza por una sequedad excesiva de la misma y un picor muy intenso, se suelen recomendar los productos de higiene corporal elaborados con avena y también los baños con harina de dicho cereal, ya que posee propiedades suavizantes de esa piel dañada y calma el picor. Sin embargo, algunos pacientes pueden observar empeoramiento de sus lesiones si son alérgicos a la avena y desarrollan un eccema de contacto sobreañadido a su dermatitis original.

ANAFILAXIA: LA REACCIÓN MÁS GRAVE. HAY QUE CONOCER LOS FACTORES DE RIESGO

Con anterioridad a los experimentos llevados a cabo por Portier y Richet, a principios del siglo XX, como ya se comenta en el primer capítulo del libro, los médicos habían tenido constancia de reacciones graves, y a veces mortales, en personas alérgicas a determinados alimentos. Sirva como botón de muestra la descripción hecha en 1689 por un médico que ejercía su profesión en la ciudad alemana de Kiel, el doctor Johann Christian

Bautzmann: «Muchos comen con avidez mariscos sin sufrir daño alguno. He visto, sin embargo, algunas mujeres, muchachas jóvenes y niños, los cuales, cada vez que comen mariscos se sienten mal; experimentan dolores en el corazón; su sudor es frío; tienen tendencia a desmayarse y se quejan de hinchazón en el vientre, en la cara y en las extremidades, lo que hace temer por su vida». Este relato tan detallado da cuenta de la severidad que pueden alcanzar las reacciones alérgicas a ciertos alimentos en sujetos predispuestos.

Hasta un 2 por ciento de personas alérgicas a alimentos pueden desarrollar anafilaxia, que es un tipo de reacción alérgica que se caracteriza por el compromiso simultáneo de distintos órganos, como el aparato digestivo (dolor abdominal, náuseas, vómitos, diarrea...), el aparato respiratorio (estornudos, dificultad respiratoria bien por hinchazón de la garganta o porque se estrechan los bronquios, tos, opresión y dolor en el pecho...), la piel (urticaria, angioedema), etcétera. En algunos casos, afecta también al aparato cardiovascular: se altera el ritmo cardiaco y puede haber un descenso de la tensión arterial que lleve al paciente a sufrir una pérdida del estado de consciencia; es lo que se denomina ***shock* anafiláctico.** El problema básico reside en que la anafilaxia aparece de forma inmediata, en tan sólo unos minutos, desde que la persona afectada tiene contacto o ingiere el alimento en cuestión. Se considera un síntoma premonitorio de su puesta en marcha el picor insoportable que aparece en las palmas de las manos y en la planta de los pies. Puede suceder que un determinado sujeto haya experimentado síntomas más leves en relación con el consumo de un alimento al que es alérgico, y que con motivo de una nueva exposición al mismo desarrolle una reacción anafiláctica.

Una forma peculiar es la llamada **anafilaxia por ejercicio dependiente de alimentos,** también conocida como **anafilaxia alimentaria inducida por el ejercicio** o **anafilaxia posprandial de esfuerzo.** Ocurre cuando el paciente realiza ejercicio físico en las cuatro horas siguientes a la ingestión, y sin embargo tolera los mismos alimentos si permanece en reposo tras la comida. En general, el ejercicio aeróbico es el que suele inducir anafilaxia, y los alimentos más implicados en estos cuadros son los frutos secos, los mariscos, la leche, las frutas y otros alimentos vegetales como los cereales. Precisamente, la mayoría de los casos se han descrito con harinas de cereales, y en el Servicio de Alergia del Hospital Gregorio Marañón tuvimos ocasión de estudiar a una paciente que desarrollaba la reacción cuando comía churros y caminaba deprisa. Se ignora cuál es el mecanismo que interviene en esta respuesta tan enigmática y potencialmente peligrosa al ejercicio. A estas personas hay que recomendarles que no se dediquen a la práctica deportiva si no han transcurrido al menos cuatro horas desde el momento en que tiene lugar la ingesta.

Cuando un sujeto alérgico ha sufrido un episodio de anafilaxia por un alimento, debe evitar nuevas exposiciones al mismo, bien sean directas o indirectas. Esto puede obligarlo a modificar sus hábitos de vida y a adoptar una serie de precauciones a partir de entonces. Si, por ejemplo, ha de viajar en avión, deberá seleccionar con antelación un menú especial, como hacen las personas que por sus costumbres religiosas no pueden comer cerdo u otros alimentos. Además, puede ser interesante tener en cuenta si los hoteles donde va a alojarse disponen de una cocina en la habitación, para preparar sus propios alimentos y evitar así el riesgo que puede suponer comer en restaurantes o productos manufacturados cuyo etiquetado resulta incomprensible por el desconocimiento de un idioma determinado. Y lo fundamental es que siempre lleve consigo adrenalina autoinyectable, pues es el único medicamento que puede salvarle la vida ante un nuevo cuadro de anafilaxia. Además, aunque gracias a la adrenalina la persona afectada logre superar la reacción alérgica, deberá acudir lo antes posible a un servicio de urgencias para permanecer vigilada durante unas horas, ya que —aunque es raro— se ha descrito la anafilaxia bifásica, que se caracteriza porque un tiempo después de la reacción inicial puede volver a repetirse un cuadro parecido, el cual requiere el tratamiento oportuno.

Capítulo III

Cómo se puede efectuar el diagnóstico

La importancia de una historia clínica bien elaborada

La historia clínica es una rutina necesaria en el ejercicio cotidiano de la medicina. Consiste en hacer un relato lo más aproximado posible de lo que el médico ve y escucha cuando está cara a cara con el paciente. Para ello, es fundamental que aquél observe con atención y que efectúe una descripción precisa en sus anotaciones.

En cuanto al paciente, tiene que sentirse comprendido en todo momento por el médico, que en este caso es un profesional en el que debe depositar su confianza en relación a su bien más preciado, ni más ni menos que la salud. Pensemos que, en el caso de las alergias alimentarias, esa capacidad de comprensión por parte del médico cobra un especial significado, puesto que no es infrecuente que el enfermo haya tardado más o menos tiempo en darse cuenta de que un determinado alimento le sienta mal, o incluso puede ocurrir que haya recorrido las consultas de otros especialistas antes de acudir al alergólogo sin obtener una solución a sus problemas, ante la imprecisión de ciertos síntomas. Sirva como ejemplo el caso de las urticarias crónicas, que se caracterizan por una erupción persistente o recidivante de ronchas en la piel, y que en algunas ocasiones, aunque son raras, pueden tener su origen en una reacción alérgica a un determinado alimento o grupo de alimentos. Es lo que le sucedió a Juan Luis, un paciente que acudió a consulta con 7 años; la madre dijo que el pequeño había sufrido episodios de erupción de ronchas el día de Navidad y el día de Nochevieja. En apariencia había cenado en esas fechas en dos casas distintas, la de los abuelos paternos y maternos, respectivamente. Además había comido lo mismo que el resto de los comensales, ninguno de los cuales había desarrollado un proceso similar. Abundando en su historia clínica, la madre dijo que en ambos casos había probado los langostinos y hasta ese momento, no solía comerlos. En efecto, las pruebas cutáneas fueron positivas tanto a gamba como a langostino, por lo que se le diagnosticó una alergia a los crustáceos.

Pero lo que sucede con la urticaria crónica, hasta en un 95 por ciento de los casos, es que no se logra hallar una causa que las pueda desencadenar, después de haber llevado a cabo un estudio exhaustivo del paciente que la padece. Sin embargo, existe un factor causal de reacciones alérgicas de ese tipo bastante común en España, del que no fuimos conscientes los alergólogos en el pasado, y que es un parásito de los pescados llamado *Anisakis* (véase el capítulo V). Ha sido a partir de 1995, que es el año en que se notificó el primer caso en nuestro país, cuando lo hemos incluido en el estudio rutinario de todos los enfermos que nos consultan por cuadros repetidos o crónicos de urticaria.

Volviendo ahora a la historia clínica, hemos de reconocer su invención a Hipócrates, el célebre médico que nació en la isla griega de Cos en el siglo V a.C., puesto que fue el primero que en sus escritos decía que al paciente había que preguntarle siempre tres cosas: ¿qué le pasa?, ¿desde cuándo? y ¿a qué lo atribuye?

Ahora bien, tampoco debe sorprenderse o atemorizarse el lector si acude a un consultorio médico y el facultativo que lo atiende le dice que tiene que hacerle una *anamnesis*, ya que dicho término tan sólo hace referencia a la capacidad por parte del paciente de rememorar los hechos y circunstancias que lo han conducido a sufrir una enfermedad concreta, así como a la descripción de los síntomas con que aquélla se manifiesta en su organismo. En griego, *anà* significa «volver a empezar», y *mnesis* es «recuerdo». En efecto, se trata del interrogatorio que plantea el médico al paciente para conocer sus antecedentes y poder redactar la historia clínica. Sirva también como curiosidad que fue Rufo de Héfeso, un médico romano que vivió entre los siglos I y II d.C., bajo el imperio de Trajano, el que en una publicación titulada *Pre-*

guntas del médico introdujo ese vocablo en el ámbito de la medicina, el cual hizo fortuna, pues a día de hoy todavía lo seguimos empleando.

Los que nos dedicamos a la práctica de la medicina somos conscientes de que con una buena anamnesis y una exploración exhaustiva se puede hacer un diagnóstico correcto en el 90 por ciento de las enfermedades. Pero, además, para el alergólogo, es importante efectuar en la mayoría de casos las consabidas *pruebas alérgicas*, y en algunos pacientes también habrá que solicitar análisis especiales de sangre, de heces, etcétera.

Pero ello no es óbice para reconocer que con la excesiva tecnificación de la medicina actual y la masificación en que lleva a cabo su actividad, el médico ha relegado a un segundo plano la historia clínica y la exploración física, a favor de un número de pruebas complementarias a veces exagerado e innecesario, muchas de ellas molestas o dolorosas para el paciente, amén de sus elevados costes.

Para confeccionar una buena historia clínica, es necesario que surja entre el médico y su paciente la debida empatía, es decir, la capacidad de comprender al otro, de ponerse en su lugar. En efecto, se trata de tener en cuenta una cuestión clave: «Yo podría ser tú». Y lógicamente, esto no implica que el médico tenga por qué estar de acuerdo con los sentimientos y el comportamiento del enfermo. Un *aforismo*, que según el *Diccionario de la Lengua Española* es una «sentencia breve y doctrinal que se propone como regla en alguna ciencia o arte», puede esclarecer mucho más esta cuestión básica sobre el trato idóneo que se debe establecer entre el médico y el paciente durante la consulta: «Si compadeces en algo, padeces, y médico que compadece mejor medicina ofrece». Pero como los excesos tampoco son buenos, también hay que decir que existe la llamada *fatiga compasiva*, que es un tipo de desgaste emocional que pueden sufrir los profesionales de la salud que se implican demasiado en su labor. Por ello es necesario guardar siempre una cierta distancia terapéutica con el paciente, lo cual no significa que el médico tenga que mostrarse frío, distante, engreído o poseído de una soberbia que en nada beneficiará la mutua confianza que debe fluir de un modo natural entre ambos. En este aspecto si el médico no es capaz de ponerse a la altura de su paciente, no llegará jamás a comprenderlo en toda su dimensión humana, y brillará por su ausencia la deseable reciprocidad que siempre ha de existir. Sobre este asunto ya se expresa Platón en un pasaje de su célebre *República*, cuando hace hablar a Sócrates, quien refiriéndose a los médicos, le dice a su vez a Glaucón: «En verdad, los médicos alcanzarían su máxima competencia si, desde niños, se hallasen familiarizados con el mayor número posible de cuerpos de la más miserable condición, y si hubiesen padecido todas las enfermedades...».

Es muy importante que el médico sepa adaptarse al nivel cultural del paciente, y maneje términos que resulten comprensibles para el enfermo en todo momento, por lo que resulta fundamental huir de los tecnicismos siempre que se pueda. La medicina, como otras disciplinas, posee una jerga propia que evidentemente los médicos manejan con familiaridad, pero por lo general permanece ajena a los intereses del paciente, salvo que se trate de un hipocondriaco, es decir de una persona excesivamente preocupada por las más nimias manifestaciones de su funcionamiento orgánico.

No en vano afirma un proverbio yidis que «es más fácil conocer cien países que entender a un solo hombre». Por ello la relación médico-paciente exige, por parte del galeno, que exista un claro interés por el enfermo y sus problemas, además de una gran sensibilidad hacia ellos, y habrá de crear un clima de cordialidad desde el primer instante del encuentro. Es deseable no asediar al paciente con múltiples preguntas y evitar a toda costa que surja un interés morboso o una curiosidad malsana por determinados aspectos de su enfermedad o de su vida. Se trata de una vieja cuestión ya abordada en un célebre tratado de la Grecia antigua, el *Corpus Hipocraticum*, donde se recomendaba lo siguiente: «Observarlo todo, estudiar al paciente, hacer la evaluación imparcial y ayudar a la naturaleza». Siglos después, y en esta misma línea, Arnau de Vilanova (hacia 1240-1311), un afamado médico perteneciente a una de las familias cristianas que se instalaron en Valencia tras su conquista por el rey Jaime I, afirmaba en una de sus obras al referirse al médico: «Debe ser discreto en el visitar, diligente en el conversar, honesto en sus afectos y benévolo con el paciente».

Sucede, además, que los síntomas —es decir, todo aquello que el paciente dice haber percibido en su cuerpo o en sus excretas o secreciones— tienen un carácter subjetivo, y de ahí su complejidad para que puedan ser debidamente interpretados por el facultativo experto. Efectivamente, los síntomas carecen de la transparencia de los signos, que son aquellas alteraciones que el médico puede objetivar con la vista, con el tacto, con el olfato, etcétera. Sin embargo, la cosa se complica para el médico en este sentido cuando un enfermo sufre un **Síndrome de Münchausen,** que es, ni más ni menos, que decir que se trata de un paciente simulador. Esto es debido a que existen algunas personas, afortunadamente pocas, que aparentan sufrir una determinada enfermedad para poder ser admitidos en un hospital. En el caso del alergólogo que se ocupa de una serie de síntomas y trastornos que pueden ser objeto de exageración por parte del paciente, como sucede con el picor en las afecciones cutáneas o la dificultad respiratoria que padecen los asmáticos, el terreno parece abonado. Esa curiosa denominación a la que hemos hecho referencia tiene su origen en el barón de Münchausen, un curioso personaje creado por el anticuario y mineralogista alemán Rodolfo Erico Raspe (1737-1794), en una novela que narra las extraordinarias proezas y peripecias atribuidas al barón Hieronymus Kart Friedrich de Münchausen (1720-1791), el cual se dedicó toda su vida a recorrer las tabernas de Alemania para narrar a los contertulios una serie de historias fantásticas sobre sus viajes y hazañas militares.

Y existe otro hecho fundamental para que el acto de hacer la historia clínica al paciente proporcione los frutos apetecidos, que es el debido aislamiento y la necesaria privacidad, ambos difíciles de conseguir en muchos casos cuando se practica una medicina masificada como sucede en los grandes hospitales. Como señala David Mendel en su libro *El buen hacer médico:* «Una llamada telefónica del embajador de Francia puede impresionar a su paciente, pero mientras está haciendo la historia no le deberían interrumpir bajo ningún concepto, a menos que le requieran en Urgencias». En efecto, el diálogo abierto y sin prisas entre el médico y el enfermo representa la clave que ha de conducir a un diagnóstico acertado y a una terapéutica apropiada. Ésta es una cuestión ancestral, como lo demuestra el hecho de que el principal medio diagnóstico del médico primitivo era el interrogatorio del paciente en privado, para intentar conocer así la posible influencia de los dioses, de los espíritus maléficos y de los seres de ultratumba en la génesis de la enfermedad. Aunque por aquel entonces los orígenes de esta última se atribuían al rapto de las almas por los malos espíritus, a la venganza de un antepasado o a la transgresión de determinados tabúes, salvando las distancias lo que apenas ha cambiado hasta ahora es la necesaria intimidad de la relación médico-paciente.

Pero, además, esa catarsis o ejercicio purificador es el inicio de la curación, y esto lo saben de sobra los psicólogos y los psiquiatras, que intentan aliviar al paciente con la palabra. Como afirmaba el célebre escritor checo Frank Kafka: «Escribir recetas es fácil, pero llegar a entender a la gente es difícil».

Desde que sabemos los médicos que hay una clara interconexión entre el sistema nervioso, el sistema endocrino (conjunto de glándulas como los ovarios y los testículos que producen unas sustancias químicas llamadas hormonas) y el sistema inmunológico (nos defiende de las infecciones y del cáncer, pero cuando funciona de forma exagerada da origen a las enfermedades alérgicas), indagar en los aspectos psicológicos del paciente a través de un interrogatorio lo más exhaustivo posible puede ayudarnos a desvelar una serie de posibles detonadores o agravantes de su enfermedad. Es lo que sucede con ciertos tipos de irritación e inflamación de la piel (eccema, urticaria), motivadas en muchos de los casos por algún conflicto psíquico. Ése fue el caso de Margarita, una mujer soltera que acudió a consulta con 65 años. Había vivido siempre sola con su madre, a la que hubo de cuidar con mucho mimo en sus tres últimos años de vida porque llegó a nonagenaria con la enfermedad de Alzheimer. Ese sobreesfuerzo físico y emocional dejó tan exhausta a nuestra paciente, que meses después de fallecer su madre comenzó con mucho picor en la piel y a desarrollar una erupción de habones (urticaria) por toda la superficie corporal. De algún modo había somatizado el estrés a través de la piel. Los análisis practicados fueron normales y no existía un factor alérgico aparente que pudiera ser el responsable de su proceso. Pero fue necesaria la ayuda de un psiquiatra experto para instaurar además de los antihistamínicos, tratamiento con un ansiolítico y un antidepresivo, resolviéndose al cabo de un tiempo el proceso, ya que existía un conflicto psíquico encubierto.

Centrándonos ahora en la historia del paciente alérgico, hay que resaltar que son de gran importancia los antecedentes familiares de procesos similares, ya que sabemos que existe una clara predisposición hereditaria para el padecimiento de ese tipo de afecciones. Y por otra parte es preciso investigar las influencias del medio ambiente, que es algo que ya intuyó el siempre mencionado y venerado Hipócrates puesto que fue consciente en su época de la influencia del tiempo sobre algunas enfermedades, y afirmó a este respecto que los inviernos poco bonancibles del Sur helénico predisponían a padecer asma bronquial. Habrían de pasar algunos siglos hasta que Thomas Sydenham (1624-1689), un médico tan afamado que fue apodado por sus contemporáneos el Hipócrates inglés, retomase la idea de la posible ligazón que puede existir entre la enfermedad, el tiempo y la estación del año.

Bernardino Ramazzini, considerado el padre de la medicina laboral, fue un galeno italiano que describió por primera vez en la literatura médica la aparición de crisis de asma en molineros y limpiadores de grano por la inhalación del polvo que se generaba en el transcurso de su trabajo. Según este ilustre médico, cuya vida se desenvolvió entre la segunda mitad del siglo XVII y principios del XVIII, a las clásicas preguntas hipocráticas a que hice referencia con anterioridad había que añadir una cuarta: ¿cuál es su ocupación?

Efectivamente, existe la posibilidad de que las personas que trabajan en la elaboración de alimentos puedan hacerse alérgicos a los mismos por el contacto de la piel o bien por su inhalación. De ahí la importancia de efectuar un interrogatorio detallado sobre el tipo de actividad laboral que desempeñan.

Además de consignar en la historia clínica del paciente alérgico los antecedentes familiares y los personales, tanto de procesos médicos como quirúrgicos, así como de las afecciones propiamente alérgicas, también es importante profundizar en determinados aspectos. En el caso de los lactantes y niños pequeños, hay que saber cómo fue el embarazo y el parto, y también reseñar las fechas de introducción de los diferentes tipos de alimentos en la dieta y su tolerancia o rechazo (intolerancia o alergia alimentaria) por parte del paciente. Si existen síntomas digestivos, habrá que valorar el estado nutricional, así como su repercusión sobre el crecimiento y el desarrollo del niño.

Cuando un alimento resulte sospechoso de haber causado una reacción alérgica, hay una serie de aspectos importantes que el alergólogo no puede omitir a la hora de elaborar correctamente la historia clínica del paciente:

- En el caso de que sea manufacturado, interesa conocer la composición que figura en el envase.
- Hay que consignar la cantidad que ha tomado y el tiempo transcurrido desde el momento en que tiene lugar la ingestión hasta que dan comienzo los primeros síntomas.
- Se debe efectuar una descripción detallada de las manifestaciones que ha experimentado el paciente.
- Es importante determinar si con anterioridad el mismo alimento había causado síntomas parecidos.
- Se debe anotar el tiempo que ha transcurrido desde que se produjo la última reacción con el alimento sospechoso.
- Se especificará si han intervenido otros factores que hayan podido favorecer o potenciar la reacción alérgica (práctica de ejercicio físico, administración concomitante de algún medicamento...).

Y, por último, diríamos que siempre es deseable disponer del tiempo necesario para hacer una historia lo más exhaustiva posible del paciente alérgico, porque un detalle nimio que se nos pase por alto puede hacer que se nos escape la posibilidad de llegar a establecer un diagnóstico preciso. De hecho, en el caso de las alergias alimentarias, el médico se convierte muchas veces en una especie de sagaz detective, que debe estar ojo avizor para intentar sorprender al presunto culpable.

Las pruebas cutáneas más habituales: extractos comerciales y el uso de alimentos frescos. Dónde radican las diferencias

Fue el doctor Charles Harrison Blackley, que ejercía la homeopatía en Manchester —una práctica médica surgida en Alemania gracias al genio de un médico excepcional llamado Samuel Hahnemann (1755-1843), que se caracteriza por el uso de medicamentos diluidos—, el inventor de este modo de diagnosticar. Blackley padecía en los meses de primavera molestias de ojos y nariz, así como episodios de asma bronquial; en 1873 se efectuó una pequeña erosión en la piel y, acto seguido, se frotó la misma con una gramínea humedecida, para observar que aparecía un enrojecimiento y que, además, se formaba una elevación o roncha. Pero veamos la propia descripción del autor, para darnos cuenta de su verdadera hazaña: «En el verano de 1865, sufriendo aún mi habitual ataque de fiebre del heno, me apliqué sobre el centro de la cara anterior del antebrazo todo el polen que se obtuvo de dos anteras de *Lolium italicum;* dicho punto había sido escarificado previamente de la manera habitual en que esto se realiza para practicar la vacunación. Se cubrió la región con un trozo de gutapercha fina y se mantuvo fijo todo ello mediante una tira de emplasto adhesivo. El centro del otro antebrazo fue tratado de idéntica manera, salvo que no se puso polen. La escarificación con la lanceta levantó un habón semejante a los de la urticaria o a los producidos por el contacto de ortigas. Pocos minutos después de la aplicación del polen, comenzó a picar intensamente toda la región; los bordes de las escarificaciones y las partes más próximas comenzaron a hincharse...». El *Lolium* es una gramínea, es decir, una planta desprovista de flores, que por ello resulta poco atractiva a la vista. Las gramíneas son la principal causa de alergia al polen en todo el mundo, también llamada **polinosis** o **fiebre del heno.** En cuanto a este último término, se lo debemos a otro médico inglés, el doctor John Bostock, también homeópata y contemporáneo de Blackley, que lo acuñó para describir las dolencias primaverales que él mismo padeció durante más de treinta años, cuya causa atribuía erróneamente al efluvio del heno. Efectivamente, el heno no produce ese tipo de alergia, ni tampoco origina fiebre, por lo que tal denominación parece impropia, aunque ha hecho tal fortuna que no sólo se sigue utilizando en el ámbito médico sino también entre los profanos.

El mérito del doctor Blackley es que halló el modo de efectuar los referidos tests cutáneos, que continuamos empleando actualmente los alergólogos con ciertas modificaciones, y que son nuestra herramienta diagnóstica básica en la práctica diaria.

Sin embargo, algunos pacientes acuden a las consultas de Alergia con cierto reparo, al pensar que las pruebas a las que deberán someterse les van a causar dolor, bien por propia intuición o porque alguien les ha contado su mala experiencia de años atrás. En efecto, en el pasado se llevaba a cabo, igual que hizo Blackley, la escarificación o *cutirreacción*, que consistía en arañar la piel con ayuda de una lanceta o de una plumilla, como las que se usaban para escribir con tintero; dicha maniobra era desagradable y, además, casi siempre se producía un cierto sangrado. Pero dicha técnica sufrió un cambio radical en los últimos años con la aparición de lancetas de acero inoxidable que poseen en uno de los extremos una fina punta de un milímetro de calibre, las cuales al ser aplicadas verticalmente sobre la piel resultan prácticamente indoloras. Pero antes de nada lo primero será efectuar una desinfección de la piel con un antiséptico, que suele ser el alcohol etílico. Además, para realizar una prueba cutánea con un alimento dado debemos disponer del extracto en cuestión, que es fabricado por laboratorios especializados, por lo que en los frigoríficos de nuestras consultas disponemos de un verdadero restaurante contenido en frascos de vidrio. Una vez depositada una gota del alimento que se desea probar sobre la piel del antebrazo, se aplica verticalmente la lanceta, que es de material desechable para evitar el contagio de enfermedades potencialmente graves como la hepatitis o el sida, y se retira a continuación el líquido sobrante con ayuda de un algodón o de un pañuelo de celulosa. El nombre que los alergólogos damos a este tipo de pruebas diagnósticas es el de *prick-test*, cuya traducción del inglés al castellano sería «prueba de puntura».

Transcurridos 15 minutos se procede a efectuar la lectura de la prueba, que se considerará positiva cuando además de un enrojecimiento de la piel aparezca una roncha con un diámetro superior a los tres milímetros. Para controlar que la piel del paciente reacciona adecuadamente, se colocará siempre, junto a las gotas de los alimentos que se desean testar, una de histamina. Como dicha sustancia está siempre presente en el organismo de todas las personas sanas, sean o no alérgicas, obtendremos en todos los casos un enrojecimiento y una elevación de la piel. Por ello, la histamina es lo que se denomina un *control positivo*, que va a servir como testigo de que la piel reacciona bien. Téngase en cuenta que los antihistamínicos, que son los medicamentos que sirven para combatir los efectos de la histamina y que continúan siendo los más utilizados para tratar las enfermedades alérgicas, pueden negativizar transitoriamente la respuesta frente a aquélla por un periodo de tiempo variable, que ronda por término medio los cinco o siete días.

Si los pacientes que acuden al alergólogo están tomando antihistamínicos, deben advertirlo, pues habrá que suspenderlos durante un espacio de tiempo adecuado para que no interfieran en el resultado de las pruebas cutáneas. Cuando este último extremo no sea posible, habrá que recurrir a otras técnicas diagnósticas, como luego veremos.

Muchas veces el paciente no informa al médico, normalmente por desconocimiento, u omite en otros casos que toma anticatarrales o antigripales —preparados que suelen contener antihistamínicos—, por lo que en ambos casos se obtendrá un *falso negativo* en los resultados de los test cutáneos.

Pero además de histamina también deberemos colocar en el antebrazo del paciente al que efectuamos unas pruebas alérgicas una gota de suero fisiológico, frente a la cual no debe reaccionar la piel de la mayoría de los sujetos sanos. Es lo que se llama *control negativo*, pero sucede que en las personas que padecen **dermografismo** (en griego, *dermos* es «piel», y *graphos* significa «escritura»)

—un tipo de urticaria que se caracteriza por la erupción de ronchas en la piel tras el roce, el rascado o la presión mantenida—, el suero fisiológico al contacto con la lanceta también va a producir un enrojecimiento de la piel y un habón. En sujetos con ese tipo de piel tan delicada, basta con emplear cualquier objeto romo y que ejerzamos una presión adecuada en la piel, para poder escribir en relieve en la misma una palabra o cualquier dibujo que se nos ocurra. En este caso no se deben efectuar pruebas cutáneas, ya que van a dar un resultado falso positivo, sino que para efectuar el diagnóstico, se ha de recurrir a métodos basados en el análisis de la sangre de la persona alérgica.

Además de la necesidad de efectuar las pruebas cutáneas a las que nos hemos referido de una forma correcta, es muy importante saber interpretarlas con la debida precisión; como todo en la vida, aquí la experiencia es un grado. Aunque afortunadamente las pruebas cutáneas no son dolorosas tal y como las practicamos en la actualidad, puede darse el caso de que una persona sea excesivamente impresionable y que tienda a desmayarse cuando le sacan sangre, o si acude a la consulta del dentista para efectuar una determinada manipulación dental, etcétera. En ese supuesto es conveniente que lo advierta siempre en la consulta de Alergia, para llevar a cabo los tests cutáneos tumbándola en una camilla. Si las pruebas cutáneas con alimentos son negativas, aunque como veremos más adelante puede ser necesario recurrir en determinados casos a otro tipo de investigaciones, la probabilidad de que el paciente sea alérgico a un alimento es escasa.

Existe un mito tanto para los pacientes como para muchos colegas en el sentido de que las pruebas cutáneas no suelen dar los resultados apetecibles cuando se practican a niños de muy corta edad, en la falsa creencia de que la capacidad de su piel para reaccionar es escasa. Los que ya llevamos bastantes años de ejercicio de la alergología a nuestras espaldas sabemos perfectamente que a partir de los tres meses se puede obtener un tamaño significativo de la prueba cutánea, bien sea con pólenes, ácaros, epitelios de animales y, por supuesto, con alimentos. Pero volviendo de nuevo al tema de la interpretación adecuada de este tipo de ayuda diagnóstica, una prueba cutánea positiva a un alimento dado no significa necesariamente que el paciente no pueda tolerar la ingestión de aquél. Es lo mismo que sucede cuando algunas personas que acuden a nuestras consultas exhiben en su piel unas pruebas positivas a los pólenes, pero nos dicen que jamás en su vida han presentado estornudos ni picor de ojos o de nariz en los meses de primavera. Este fenómeno es lo que los alergólogos llamamos *sensibilización subclínica*, y al igual que a este segundo tipo de paciente no le debemos prescribir una vacuna de pólenes para tratar su supuesta alergia, en el caso de que el individuo que desarrolla una prueba cutánea positiva a un alimento nos asegure que lo tolera perfectamente, no hay por qué retirárselo de la dieta. Sí puede ser necesario tener en cuenta ese dato de cara a sucesivas revisiones, por si las cosas cambiasen en el futuro.

Pero lo contrario, también puede suceder que un paciente relate una clara relación causa-efecto entre la ingestión de un alimento y la aparición de una reacción alérgica, y que la prueba cutánea resulte negativa. En ese caso debemos recurrir a efectuar otro tipo de prueba cutánea denominada *prick-prick*, que consiste en emplear el alimento tal cual, en lugar de un extracto del mismo fabricado en un laboratorio. Para ello el paciente acudirá a la consulta con una pequeña cantidad del mismo, y entonces se aplicará una mínima porción sobre la piel del antebrazo, para puncionar primero el alimento y, acto seguido, a su través, la superficie cutánea. Puede ocurrir entonces que el *prick-prick* resulte positivo, frente a la negatividad del *prick* convencional. Esta técnica resulta especialmente interesante para las frutas y las verduras, pues las proteínas que contienen y que son las responsables de las reacciones alérgicas a dichos alimentos suelen ser muy lábiles, y pueden inactivarse a la hora de someter aquéllas a los procedimientos precisos en el laboratorio para lograr obtener un extracto.

Las pruebas cutáneas más complejas

Fue el doctor Von Pirquet, el mismo que acuñó en 1906 el término *alergia* para referirse a un tipo de respuesta peculiar de algunos organismos frente a los pólenes, los alimentos, los medicamentos, etcétera, el que también ideó un año más tarde un tipo de prueba cutánea diferente a la que hemos considerado hasta ahora. Es la llamada *intradermorreacción* o *prueba intradérmica*, también conocida como *prueba de la tuberculina*, pues con posterioridad a Von Pirquet fue aplicada por otro médico, el doctor de origen galo Charles Mantoux, para el diagnóstico de la tuberculosis.

Aunque actualmente dicha técnica sigue empleándose con este último fin, también la usamos los alergólogos para efectuar pruebas cutáneas. Consiste en introducir, con ayuda de una jeringuilla estéril y desechable mediante una aguja de pequeño calibre, similar a la que utilizan los diabéticos para inyectarse la insulina, una mínima cantidad de líquido debajo de la piel (en concreto, en la dermis, y de ahí su nombre). Pero este tipo de test cutáneo es doloroso, y como además puede sangrar, resulta doblemente molesto para el paciente, por lo que se usa en casos muy concretos. Si se sospecha de una posible alergia alimentaria jamás debe practicarse, puesto que no aporta ventajas frente al *prick-test* antes comentado y porque, además, existe el riesgo de que pueda desarrollarse una reacción alérgica grave en pacientes muy sensibilizados.

Por otra parte, en las consultas infantiles de Alergología se efectúa en ocasiones para determinados casos el llamado *test de frotamiento*, que consiste en friccionar sobre una determinada área de la piel el alimento que se cree sospechoso de causar una reacción alérgica. Por último en algunos casos, aunque no es habitual, pueden llevarse a cabo las *pruebas de parche*, también llamadas *pruebas de contacto*, con un alimento determinado. Consisten en aplicar una gota de un extracto de un alimento sobre un parche adhesivo especial, que se mantiene pegado en la piel durante 48 horas. Luego se retira, y se vuelve a efectuar una lectura de la prueba a las 72 o 96 horas, para ver si entonces la piel ha reaccionado con aparición de enrojecimiento y erupción de pequeñas vesículas de contenido líquido.

El objetivo de esta técnica es determinar si un alimento o un grupo de alimentos pueden ser los causantes de la aparición en la piel del sujeto alérgico de una inflamación de la misma, que es lo que se denomina eccema.

LA SENCILLEZ DE UN ANÁLISIS ESPECIAL DE SANGRE

En el apartado titulado «Así se desarrolla una reacción alérgica: la complejidad del puzle inmunológico», perteneciente al capítulo I del libro, hicimos referencia a una proteína llamada IgE, que suele ser la causante de la mayoría de las reacciones alérgicas. La descubrieron, en 1967, dos grupos de investigadores que trabajaban por separado en Baltimore (un matrimonio de investigadores japoneses apellidado Ishizaka, afincado en Estados Unidos) y tres científicos suecos de la Universidad de Uppsala (los doctores Wide, Bennich y Johansson). A partir de entonces, comenzaron a desarrollarse métodos analíticos muy complejos para efectuar su detección rutinaria en la sangre de los pacientes alérgicos.

Hemos de tener en cuenta que la IgE está presente en el plasma sanguíneo en tan mínimas cantidades, que en el caso de los sujetos sanos que no padecen procesos alérgicos rondan como mucho los 0,4 microgramos por mililitro. Sin embargo, en algunos sujetos muy alérgicos las cifras que se alcanzan pueden ser sumamente elevadas, pero, además, la tecnología tan precisa de que disponemos hoy día permite cuantificar no sólo la concentración total de la referida proteína, sino también la que se produce en respuesta a un determinado agente, como puede ser, en el caso que nos ocupa, un alimento concreto. Es lo que se denomina IgE específica, cuya medición se hace en los laboratorios por unas técnicas sofisticadas llamadas RAST y CAP.

No obstante, el alergólogo debe solicitar este tipo de análisis de una manera racional, pues el coste es elevado. Mientras que una prueba cutánea positiva a un alimento en un sujeto que ha observado reacciones alérgicas en su organismo siempre que lo come tan sólo nos informa de que existe una relación causa-efecto, en el caso de este tipo de análisis de sangre podemos conocer si esa persona es poco alérgica o, por el contrario, muy alérgica al alimento en cuestión.

Actualmente, son muy escasos los pacientes que acuden a nuestras consultas con los resultados de una analítica en sobre cerrado, ya que la mayoría siente curiosidad por conocer de antemano aquéllos, máxime cuando disponen de un amplio arsenal de información médica en Internet. Pero éste es un craso error, pues sólo el médico especialista está capacitado, por su formación, para interpretar de un modo adecuado cualquier análisis, al igual que sucede con las pruebas cutáneas.

En personas supuestamente alérgicas que están tomando antihistamínicos, los cuales negativizan, como ya dijimos previamente, las pruebas cutáneas, o en aquéllas con una piel muy sensible que puede inducir a error (dermografismo), es bueno recurrir a este tipo de estudios analíticos más complejos para no retrasar el diagnóstico. También son candidatos a la determinación en sangre de IgE frente a los alimentos que pueden estar produciendo una reacción alérgica los individuos con eccemas muy extensos, que apenas dejan un área de piel indemne para practicar pruebas cutáneas.

Otra de las aplicaciones del RAST o del CAP resulta especialmente interesante, y se da en el supuesto de que un paciente haya sufrido reacción muy severa al ingerir un alimento al que es alérgico, para evitar que las pruebas cutáneas puedan desencadenar un cuadro de intensidad similar.

Las pruebas de provocación o reexposición

Consisten en que el paciente vuelva a exponerse al agente al que supuestamente es alérgico en presencia del alergólogo, para confirmar su especial sensibilidad al mismo. Están indicadas cuando las pruebas cutáneas y la determinación en sangre de la IgE específica hayan resultado negativas.

En el caso de los alimentos, el riesgo suele ser elevado, ya que la reacción alérgica que se desencadena puede ser de mayor severidad que la experimentada previamente. Por ello, sólo se practicarán cuando existan dudas razonables al respecto o si se trata de una alergia alimentaria que se inicia en la niñez, para comprobar la tolerancia que suele establecerse cuando ha pasado un

tiempo de exclusión de la dieta habitual del alimento encausado.

En cualquier caso se requiere la estrecha vigilancia de personal médico y de enfermería, que deberá ser suficientemente experto y estar debidamente entrenado, y habrán de realizarse siempre en un medio hospitalario y no en una consulta cualquiera, ya que es obligado disponer de los necesarios medios de reanimación para hacer frente a una eventual reacción alérgica más o menos grave.

Asimismo si el alergólogo ve necesario efectuarlas, se solicitará del paciente —o, en el caso de los niños, de sus padres o tutores— un consentimiento escrito firmado, una vez que se ha informado de los posibles riesgos que entrañan y del procedimiento que se debe seguir. Se trata, además, de un tipo de estudios que requieren bastante tiempo, ya que el paciente deberá comer el alimento de manera gradual, comenzando siempre con pequeños trozos, hasta alcanzar una cantidad equivalente a una ración habitual de aquél.

Las pruebas de provocación son de utilidad cuando una persona es aparentemente alérgica, por ejemplo, a un fruto seco o a una legumbre determinada, ya que puede suceder que tolere perfectamente otros alimentos similares, con lo cual no caemos en un prohibicionismo extremo. Pero aquí más que nunca se cumple de nuevo una vieja sentencia de la medicina: «No hay enfermedades, sino enfermos», por lo que cada caso deberá ser analizado de una manera individual.

Lo que nunca debe hacer un paciente que alberga sospechas de ser alérgico a un alimento concreto es efectuar por su cuenta la prueba de provocación en el domicilio donde reside, puesto que en el caso de que se desencadene una nueva reacción alérgica no siempre va a poder hacerle frente con algún antihistamínico que tenga a mano o por medio de algún remedio casero. Aunque afortunadamente es poco habitual, los alergólogos tenemos constancia de fallecimientos debidos a un *shock* anafiláctico desencadenado por un alimento en personas muy sensibilizadas, por lo que toda cautela en este sentido es poca.

CAPÍTULO IV

No es alergia todo lo que parece: el diagnóstico diferencial

PROCESOS MENOS COMUNES QUE PUEDEN SER OBJETO DE CONFUSIÓN

Aunque en páginas precedentes hemos tratado de explicar los síntomas más característicos de los procesos alérgicos que pueden aparecer después de comer un alimento al que una determinada persona está sensibilizada, a veces hasta los propios médicos no especializados en alergología pueden confundir este tipo de manifestaciones con otras similares. A continuación veremos algún ejemplo al respecto, al referirnos a ciertas enfermedades que, aunque no muy frecuentes, sería oportuno conocer.

Ahora que cada vez está más de moda en España hacer turismo por países exóticos, merece la pena comentar un tipo de intoxicación alimentaria que, aunque es poco frecuente, se podría confundir con una alergia o una intolerancia a un determinado alimento. Nos estamos refiriendo a la *ciguatera*, una enfermedad que pueden contraer los peces y los crustáceos de las costas del golfo de México, de Florida, del Caribe y de otras latitudes, que se origina por unas toxinas que se acumulan en determinadas especies marinas tropicales y subtropicales. En efecto, en ciertas épocas del año son varias las especies de pescado y marisco capaces de almacenar una serie de toxinas que resultan venenosas para el ser humano incluso si están bien cocinados. Entre los peces que pueden estar afectados destacan el pargo, el mero, el medregal coronado, la corvina, la barracuda, el jurel, el pez limón, la palometa, el huachinango, la anguila y muchas otras. Se trata del tipo más común de intoxicación por pescado en los viajeros, y el primer relato detallado de los síntomas que ocasiona se lo debemos al capitán James Cook, un navegante, cartógrafo y explorador inglés, cuando en 1774 se hallaba en Nueva Caledonia. Las toxinas las producen los dinoflagelados, unos seres unicelulares que forman parte del plancton de aguas marinas donde existen arrecifes de coral, aunque también pueden originarlas algas. Cuando los peces se comen a los dinoflagelados introducen en su organismo dichas toxinas, de las cuales la más conocida es la llamada *ciguatoxina*, y de ahí el nombre de *ciguatera* que se da a la enfermedad. Puesto que las referidas toxinas no alteran el color, ni tampoco el olor o el sabor del pescado, es fácil que el ser humano se intoxique al comerlo.

Inicialmente pueden aparecer náuseas al cabo de 3 a 5 horas, vómitos, dolor abdominal y diarrea, pero transcurridas 48 o 72 horas la persona afectada comienza a sentir adormecimiento, entumecimiento y dolor en distintas zonas del cuerpo, debido a la acción paralizante de las toxinas. Pero también cabe la posibilidad de que el intoxicado manifieste una sensación de picor en su piel, como si de una reacción alérgica se tratase. Los casos más graves pueden desembocar en un estado de coma, que a veces conduce a la muerte del afectado.

Aunque, como apuntábamos al inicio, se trata de un problema de salud originario de países tropicales y subtropicales bañados por las aguas de los océanos Pacífico e Índico y del mar Caribe, la exportación de pescados a otras áreas lo está transformando en un problema a escala mundial; de hecho, se han observado casos de intoxicación en el litoral este de Estados Unidos y, además, los viajes al Caribe, cada vez más frecuentes entre los habitantes de nuestro país, han hecho que ya se hayan visto algunos afectados cuando regresan.

El tratamiento de la intoxicación por ciguatera consiste principalmente en aliviar los síntomas y en tratar las complicaciones. La persona que logra superar este tipo de intoxicación, que como hemos podido comprobar es potencialmente grave, puede volver a sufrirla si en el futuro ingiere de nuevo pescado contaminado por las correspondientes toxinas, ya que no deja inmunidad. Además, dichas toxinas son estables en el jugo ácido del estómago humano y resisten al calor y a la congelación.

En algunas partes del mundo, y en concreto en nuestro país, en Galicia, ha ocurrido en ocasiones una proliferación masiva de una o varias especies de dinoflagelados, diferentes a los que causan la temida ciguatera, que dan al agua un color que oscila entre rojo sangre y pardo como el café; de ahí el nombre de *mareas rojas*. Dichos organismos también son tóxicos, y pueden afectar a las especies marinas, e indirectamente, por ingestión de mejillones, almejas, ostras y otros moluscos de concha, causarán intoxicaciones en el hombre, que a veces pueden ser graves.

Otro tipo de intoxicación puede ocurrir a través de toxinas naturales del pescado, como sucede con la enfermedad llamada *fuguismo*, causada por el pez globo o también por la escombroidosis. De la primera nos ocuparemos brevemente a continuación, y la segunda la abordaremos en el siguiente apartado, al hablar de la histamina.

El pez globo, que es una especie procedente de las aguas de las regiones indopacíficas, adquiere su nombre de la capacidad que posee de inflar el estómago tragando agua o aire, con lo que puede adoptar la forma de un balón, con toda su superficie llenas de espinas, y evitar así el ataque de sus depredadores. Se han observado en humanos casos de intoxicación grave por su consumo, pero no sólo en Japón, donde la tradición gastronómica lo ha convertido en una exquisitez, sino también en zonas del océano Atlántico, el golfo de México y el golfo de California. En efecto, los nipones disponen de restaurantes con cocineros especializados en preparar el para ellos suculento *fugu*, que puede contener la potente tetrodotoxina, un agente tóxico 100 veces más letal que la estricnina o el cianuro. Aunque la carne del pescado no la posee, sí se almacena en la piel del pez, en sus órganos reproductores y en el hígado. Si el cocinero no está lo suficientemente experimentado y no logra extraer todo el veneno del pez, el comensal puede morir. Pero como en muchos otros aspectos de la vida humana, también existe el refinamiento, y están más cotizados aquellos maestros de la cocina japonesa que logran dejar en el *fugu* una mínima cantidad del temible veneno, para que los labios de la persona que lo consume perciban un leve cosquilleo en la boca, en ese curioso flirteo con la muerte que parece deleitar a algunos individuos en aquellas latitudes. Los síntomas de la referida intoxicación generalmente aparecen entre los 20 minutos y las tres horas siguientes a comer el pez venenoso, y pueden incluir entumecimiento de los labios y la lengua, de la cara y las extremidades, mareos, dolor de cabeza, vómitos, dolor abdominal, diarrea, debilidad muscular con dificultad para caminar, sensación de ardor en la piel y enrojecimiento, cuadros de asma, etcétera. El tratamiento para la referida intoxicación consiste en limitar la absorción de la toxina por el organismo, aliviando los síntomas y tratando las complicaciones que pueden poner en peligro la vida. No existe un antídoto conocido para la tetrodotoxina, y la enfermedad que origina está considerada como la más grave de las intoxicaciones por peces, pues su mortalidad es superior al 50 por ciento. La dosis letal mínima que se requiere de la toxina es muy escasa, y la ingestión de un pez pequeño puede ser mortal. Además del pez globo, pueden albergarla otras especies afines.

Veamos ahora otro ejemplo diametralmente opuesto pero sumamente curioso de cómo una sustancia contenida de forma natural en un alimento, puede resultar tóxica únicamente para ciertas personas. Es el caso de la tiramina, un aminoácido presente en los quesos muy fermentados o añejos *(cheddar, camembert)*, las nueces, el hígado de pollo, los arenques, etcétera. Se obtiene al convertirse la tirosina en adrenalina (una hormona producida en unas glándulas situadas encima de los riñones, las suprarrenales); esta última se emplea en las reacciones alérgicas graves, como medicamento de primera elección.

Pues bien, la ingestión de grandes cantidades de ciertos quesos, como los ya referidos, provoca lo que se denomina *síndrome del queso.* Se caracteriza por la aparición, entre la media hora y las dos horas después de su ingestión, de dolores de cabeza, palpitaciones, náuseas, vómitos, sudoración, dolor abdominal, etcétera. Lo que hace la tiramina es estrechar los vasos sanguíneos y provocar así elevaciones de la tensión arterial; este efecto resulta especialmente peligroso cuando se simultanea con la ingesta de ciertos medicamentos antidepresivos que se llaman inhibidores de la monoaminooxidasa (IMAOS). Por ello, este tipo de fármacos están contraindicados en los hipertensos.

EL CASO DE LAS INTOLERANCIAS ALIMENTARIAS

Son aquellas reacciones nocivas desencadenadas por alimentos en las que no se ha podido demostrar que intervenga nuestro principal elemento de defensa, el sistema inmunológico, pero que tampoco obedecen a un trastorno psicológico. Este último aspecto es interesante, pues no es raro que en la consulta diaria algún paciente manifieste su aversión a un determinado alimento, pero evidentemente ésta es una cuestión de gustos personales que nada tiene que ver con una alergia o intolerancia alimentaria.

Volviendo a este último punto, sabemos que son diversos los mecanismos que pueden estar en juego, pero en cualquier caso no le compete al alergólogo su diagnóstico y tratamiento. A diferencia de lo que sucede con las alergias alimentarias, aquí las pruebas cutáneas con los agentes responsables van a ser siempre negativas, por lo que no procede efectuarlas. Por ello, suelen ser los médicos especialistas en aparato digestivo o gastroenterólogos los que se ocupan de este asunto, que abarca enfermedades muy diversas. Sí es cierto que en ocasiones algunos de los trastornos que manifiesta el paciente intolerante a un determinado alimento pueden ser bastante parecidos a los de una reacción alérgica, como sucede con la intoxicación histamínica, de la que hablaremos en el siguiente apartado. Pero en general la intolerancia se va a limitar a crear un desorden en el aparato digestivo, en no pocas ocasiones porque nuestro organismo no está preparado para metabolizar un determinado alimento, como puede ocurrir con la leche, ya que el intestino de algunas personas carece de lactasa, que es la sustancia necesaria para digerir adecuadamente el azúcar de la leche o lactosa.

Todos, en algún momento de nuestra vida, hemos sufrido este problema de forma transitoria, pues después de cualquier proceso diarreico el intestino es incapaz de asimilar la lactosa, por lo que durante unos días hay que excluir los productos lácteos de la dieta; y por su relativa frecuencia en nuestro medio, abordaremos más en profundidad este asunto en el apartado dedicado a la alergia a la leche del capítulo V.

Otro problema que puede presentarse es que en un momento dado el intestino no esté preparado para absorber determinados alimentos, por no hallarse en condiciones óptimas. Es lo que sucede en algunos lactantes con la leche de vaca ya que, por la inmadurez de su intestino, la rechazan y les produce irritabilidad, hinchazón del abdomen, vómitos y diarrea. Esta última puede alarmar sobremanera a los padres, porque en ocasiones se acompaña de expulsión de sangre con las heces. Además, el bebé, cuando el proceso persiste, no logra ganar peso. Afortunadamente, se trata de un problema fácil de solucionar, sustituyendo la leche de vaca por leche de soja u otra de origen vegetal, hasta que la función intestinal se recupere por sí sola.

Mucho más común es que el recién nacido pueda padecer los llamados **cólicos del lactan-**

te, que se caracterizan por episodios de llanto incontrolado, con una gran sensación de incomodidad y movimientos espasmódicos de las extremidades. Son atribuidos generalmente por los médicos a que el bebé acumula en su intestino un exceso de aire procedente de la succión del pezón o del biberón, pero esto no pasa de ser una hipótesis. Otra teoría sostiene que el origen de dichas molestias está en la inmadurez de un aparato digestivo que se encuentra aún en plena fase de aprendizaje, lo que explicaría por qué desaparecen por sí solos este tipo de trastornos a partir de los tres meses. Pero esto tampoco aclara mucho, pues en ese caso deberían sufrir el problema todos los bebés, y solamente les ocurre a algunos. Incluso ciertos expertos han sugerido que la lactosa de la leche pudiera ser la causante, porque el niño puede carecer de una cantidad de lactasa adecuada para metabolizarla en los primeros meses de vida.

Dentro de este grupo de afecciones merece la pena que nos extendamos algo más en una concreta, por su mayor importancia. Nos referimos a la llamada **enfermedad celiaca**, que es una intolerancia del intestino a un grupo de proteínas que se encuentra en determinados cereales, a las que se designa genéricamente con el nombre de gluten. De aquí que este problema de salud se llame también *intolerancia al gluten*.

Se desconoce exactamente cómo y por qué dicha sustancia, que está presente en el trigo, la cebada, el centeno y la avena, daña el intestino. Su incidencia en Europa puede llegar a afectar a una de cada mil personas, pero en las últimas décadas ha habido un incremento llamativo, probablemente porque los médicos disponemos de mejores métodos para diagnosticarla.

Suele comenzar en la infancia, y se manifiesta en los niños por una pérdida de apetito, diarreas, episodios de llanto o malhumor y una dificultad para crecer al ritmo que sería deseable. También puede suceder que una persona llegue a la edad adulta sin tener conocimiento de que sufre la enfermedad, hasta que se la estudia por padecer un cansancio inexplicable o dolores en los huesos, síntomas de una mala absorción de hierro y calcio en el intestino. Cuando la situación es mantenida, el individuo afectado puede desarrollar una anemia por déficit de hierro (disminución del número de glóbulos rojos) o una osteoporosis (descenso del contenido de calcio y de la masa ósea), respectivamente.

El problema reside en que el gluten ataca a las conocidas como *vellosidades intestinales*, que son unas células que, a modo de una pelusa aterciopelada, como la que recubre la superficie del melocotón, revisten la mucosa intestinal. Así, cada uno de esos pelillos se comporta como una esponja seca que absorbe los alimentos una vez que han sido digeridos en pequeñas partículas por los jugos del estómago y del intestino, hasta que adquieren una consistencia lechosa. La eficacia de tales vellosidades es tal que sólo escapan por la luz del intestino el 5 por ciento de las grasas y el 10 por ciento de las proteínas que ingresan en nuestro organismo a través de la alimentación.

La enfermedad celiaca, también llamada *celiaquía*, es un proceso inflamatorio permanente del intestino delgado que afecta a individuos genéticamente predispuestos para padecerla. En este sentido, es rara su presencia en los habitantes de países del continente africano, y también en China y Japón; se da con mayor frecuencia en los sujetos de raza blanca, por lo que en entornos geográficos como el nuestro siempre hay que tenerla en mente cuando alguien nos consulta porque su intestino no funciona adecuadamente.

No se trata en absoluto de una enfermedad nueva, ya que la primera descripción de la misma fue llevada a cabo, en el siglo II a.C., por el médico griego Areteo de Capadocia, el cual utilizó para designarla la palabra griega *koiliako*, que significa «el que padece del intestino». Pero no se produjeron grandes progresos en el tratamiento de los pacientes afectados hasta 1950, cuando un pediatra holandés, el doctor Dicke, observó que en pleno periodo de la posguerra, tras la Segunda Guerra Mundial, cuando a los niños hospitalizados con un cuadro clínico de diarrea crónica y desnutrición se les retiraban de la dieta habitual los alimentos que en su composición llevaban cereales de trigo, centeno, cebada y avena mejoraban de forma rápida y notable, mientras que si se les volvían a introducir empeoraban de nuevo.

La distribución geográfica mundial de la referida afección parece haber seguido una relación estrecha con el incremento en el consumo de cereales y con los flujos migratorios de la población. Hay que tener en cuenta que en los albores de la humanidad no se consumían cereales en la dieta, ya que la vida nómada de los primeros pobladores obligaba a que su alimentación fuera a base de la caza y la pesca, además de algunos vegetales y frutas salvajes. Aproximadamente hace unos 10.000 años, una pequeña región de Asia Menor conocida como el *fértil creciente*, comprendida entre Palestina y Mesopotamia, fue el lugar del mundo donde se cultivaron por primera vez granos de cereales, ya que se trataba de un terreno fértil que estaba bien regado por las aguas de los ríos Tigris y Éufrates. Fue en dicha región donde las tribus que hasta entonces habían sido nómadas se transformaron en poblaciones estables, cultivaron sus tierras, comenzaron a almacenar los alimentos y más tarde emigraron hacia el oeste, donde cultivaron nuevas tierras y transmitieron su estilo de vida y su alimentación. Siguiendo el curso del Mediterráneo, se fueron propagando por diferentes países del norte de África y del sur de Europa, así como por el valle del Danubio (Europa Central), extendieron en los siguientes milenios el cultivo de cereales por todo el Viejo Continente, y alcanzaron incluso el norte de Europa (Irlanda y los países escandinavos). Posteriormente, con el descubrimiento de América, los españoles llevamos nuestra cultura y alimentación a todos los países del

Nuevo Continente. Así fue como se universalizó la llamada *cultura del trigo* por todo el planeta.

En realidad lo que produce el gluten es una atrofia severa de la mucosa del intestino delgado, que en el caso de los niños hará que sus piernas y brazos se muestren muy adelgazados, mientras que el abdomen está abultado. Además, el número de deposiciones puede superar las 10 diarias, y las heces son líquidas, de aspecto pálido y maloliente. La consecuencia de la referida atrofia es que el intestino es incapaz de utilizar los nutrientes que ingieren las personas afectadas. Si no se llega a efectuar el diagnóstico a tiempo, a largo plazo pueden surgir complicaciones serias, como úlceras y tumores intestinales.

Afortunadamente, un régimen estricto sin cereales que contengan gluten conduce a la rápida desaparición de los síntomas y a la normalización de la mucosa intestinal afectada. Sí les está permitido comer a estos pacientes arroz, maíz y mijo. La *quinoa* o *quinua*, conocida como el «cereal madre» en la lengua quechua, también resulta adecuada para los celiacos. No es propiamente un cereal, aunque forma granos o semillas, sino una planta de la misma familia que la remolacha, las espinacas y las acelgas (chenopodiáceas). Fue el alimento básico de los incas durante miles de años, pero con la llegada de los conquistadores a Suramérica su cultivo fue sustituido por maíz y patatas, por lo que en muy poco tiempo la quinoa desapareció con la aniquilación de aquella cultura. Además, posee un mayor índice de proteínas, calcio, fósforo, hierro y magnesio que los demás cereales, contiene todos los aminoácidos esenciales, es rica en fibra y vitaminas del grupo B.

La intoxicación histamínica

Seguro que a la mayoría de los lectores, máxime si son alérgicos o si tienen algún familiar cercano que lo pueda ser, les sonará la palabra *antihistamínico*. Se trata de un tipo de medicamentos que sirven para combatir las manifestaciones de los procesos alérgicos, porque contrarrestan la acción de una sustancia llamada histamina. Inicialmente se creyó que esta última era un producto de la putrefacción de ciertos alimentos, pero luego se hizo evidente que se encontraba en tejidos normales, tanto animales como humanos, y además se demostró que tenía un papel importante en las manifestaciones de los procesos alérgicos.

La histamina, en dosis pequeñas, es una sustancia necesaria y deseable para el funcionamiento adecuado de nuestro organismo pues se encarga, por ejemplo, de mantener el estado de vigilia. De ahí la posibilidad, seguro que bien conocida por la mayoría de los lectores por su popularidad, de que los antihistamínicos puedan causar somnolencia al contrarrestar su acción. Pero en dosis elevadas la histamina puede tener efectos perjudiciales, como veremos a continuación. Existen una serie de células en nuestro organismo, de las cuales las más conocidas son los mastocitos, que almacenan dicha sustancia en su interior; cuando se produce una reacción alérgica la vierten rápidamente a la sangre y ocurre un aumento del calibre de los vasos, que se dilatan notablemente y provocan un enrojecimiento de la piel, acompañado de sensación de calor y de picor.

Por otra parte, sabemos que la presencia de histamina en los alimentos se halla íntimamente relacionada con su estado de conservación y/o contaminación por bacterias. Es lo que sucede en el caso de los Escombriformes, unos peces grandes y huesudos que incluyen especies como la albácora, el atún, el bonito, la melva, el listado, la caballa, etcétera. Después de capturado el pescado, su piel tiene una especial facilidad para ser contaminada por bacterias, que a su vez pueden generar elevadas concentraciones de histamina. La causa más común es la falta de refrigeración precoz del alimento, la mala conservación o el almacenamiento en lugares con poca higiene y a temperaturas elevadas. Y, aunque es más raro, este tipo de intoxicación también pueden causarla especies que no son Escombriformes, como sucede con el pez espada, las sardinas, las anchoas y los arenques. La histamina suele producir una reacción inmediata, en un plazo de 15 a 90 minutos, idéntica a la que caracteriza a los procesos alérgicos, con enrojecimiento de la cara y de los ojos, picor, erupción de ronchas, náuseas y vómitos, diarrea, dolor de cabeza y/o dificultad para respirar, bien por hinchazón de la garganta o por estrechamiento de los bronquios, con dificultad para el paso del aire (crisis asmática). Transcurridas unas cuatro horas, suelen desaparecer los síntomas de forma espontánea. Para su tratamiento resultan útiles los antihistamínicos y los inhaladores de broncodilatadores cuando además aparece asma.

Considerando que el efecto de la temperatura en la formación de histamina es determinante, el rápido enfriamiento del pescado después de muerto, por debajo de 5 ºC, es la principal estrategia para prevenir la formación de histamina. Pero son muchos los factores que van a incidir en el tiempo que se precisa para bajar la temperatura del pescado, como la técnica de captura, el tamaño del pescado, el método de enfriamiento, la cantidad y el tipo de hielo, etcétera. Se ha demostrado que el uso del ácido propiónico y del ácido acético, en cantidades adecuadas, retardan el crecimiento bacteriano en los pescados. Los países de la Unión Europea establecen un nivel máximo promedio de histamina de 100 partes por millón, como aceptable para el consumo.

También de cara a la prevención de la intoxicación por histamina es importante manipular de forma higiénica los alimentos, especialmente las conservas, si van a ser consumidas después de varias horas de mantener el producto fuera de su envase y a temperatura ambiente. No basta con adquirir en el mercado un bonito o un atún muy fresco y de calidad, y saber cocinarlo adecuadamente, sino que también hay que conservarlo en las mejores condiciones, sobre todo si nos encontramos en una época del año donde el calor causa estragos, pues en esas condiciones adversas es más probable que un alimento tan delicado pueda desnaturalizarse. Tampoco se olvidará que conviene envasar adecuadamente los bocadillos o los productos elaborados con este tipo de conservas, principalmente con papel de aluminio o de plástico, y se intentarán mantener en un ambiente lo más fresco posible.

Esta forma de intoxicación por pescado ocurre en aguas tropicales y templadas de todo el mundo, y se denomina **intoxicación histamínica**. Su incidencia en la población general es desconocida, ya que al tratarse de una enfermedad normalmente leve y de corta duración, el afectado no suele precisar asistencia médica. Además, como los síntomas de la enfermedad son idénticos a los de una alergia de origen alimentario, y se alivian en ambos casos con antihistamínicos, pueden efectuarse diagnósticos erróneos que infravaloren su importancia.

Aparte de los pescados, existen otros alimentos que pueden contener cantidades altas de histamina, como sucede con los quesos curados, la col fermentada, las bebidas alcohólicas, el cacao y sus derivados, algunas frutas como las fresas y el plátano y ciertas hortalizas. *(Véase la tabla adjunta, donde se relacionan los principales alimentos que poseen un alto contenido de histamina)*.

Las personas afectadas de tuberculosis y, sobre todo, aquellas tratadas con un medicamento llamado isoniazida, pueden padecer reacciones más graves al ingerir alimentos con un alto contenido en histamina.

Tabla 1. Alimentos ricos en histamina

- Bebidas fermentadas (vino, cerveza).
- Clara de huevo.
- Conservas de atún, anchoas o huevas de arenque ahumado.
- Conservas en general.
- Chocolate.
- *Choucroute*.
- Espinacas.
- Fresas.
- Papaya.
- Paté de cerdo.
- Quesos fermentados.
- Salchichón.
- Sardinas.
- Tomate.

EL SÍNDROME DEL RESTAURANTE CHINO

En la primavera de 1968 una comunicación científica del Dr. Robert Ho-man Kwok, publicada en la prestigiosa revista *The New England Journal of Medicine*, alertaba sobre los peligros de lo que se ha denominado **Síndrome del Restaurante Chino** (SRC). Se refería el Dr. Kwok a su propia experiencia y a la de otras personas, y señalaba que tras comer en alguno de esos establecimientos aquejaban una sensación de entumecimiento y adormecimiento en el cuello, que se extendía a los hombros, a los brazos y a la espalda, que se acompañaba de debilidad y palpitaciones en el corazón. En la citada comunicación, el Dr. Kwok emitía la hipótesis de que quizá la causa radicase en una reacción a la salsa de soja, o bien al vino utilizado para cocinar, al alto contenido en sal de las comidas o a la presencia de glutamato monosódico, un potenciador del sabor que es utilizado tradicionalmente en ese tipo de restaurantes.

Tras esa primera alerta, se acumularon centenares de testimonios que confirmaban la existencia de los referidos síntomas, a los que se fueron

añadiendo sofocos y sensación de ardor en el cuello y en la espalda, enrojecimiento generalizado, sudoración, sensación de presión, hormigueo y debilidad en la cara, opresión en el pecho, nauseas, vómitos, etcétera.

Normalmente los síntomas se iniciaban una media hora después de comer, y finalizaban unas dos horas más tarde. Es posible que otros enfermos salgan bien del restaurante y varias horas después comiencen con urticaria o tengan una crisis de asma, pero generalmente los síntomas aparecen a los pocos minutos, cuando el afectado aún se encuentra en el restaurante.

El glutamato es uno de los 20 aminoácidos constituyentes usuales de todas las proteínas, que puede ser fabricado en el interior de nuestras propias células o bien puede ingresar en el organismo a través de los alimentos. Destaca especialmente su presencia en alimentos ricos en proteínas, como los productos lácteos, la carne, el pescado y numerosas verduras. Algunos alimentos que se usan a menudo por sus propiedades aromatizantes, como los champiñones y los tomates, contienen altos niveles de glutamato de forma natural. El cuerpo humano produce glutamato porque desempeña un papel fundamental en el buen funcionamiento de nuestro organismo, sobre todo del cerebro.

El glutamato monosódico fue aislado químicamente en 1908 por un investigador japonés, que lo identificó como la sustancia clave presente en las algas marinas utilizadas durante siglos en la cocina japonesa para dar sabor a las comidas. Efectivamente, incluso a concentraciones inferiores al 1 por ciento, es un potente reforzador del sabor de los alimentos a los que se añade. Los alimentos naturales en los que el glutamato se encuentra en mayor proporción son los champiñones, el jugo de tomate y el queso parmesano. Una persona normal consume diariamente unos diez gramos de glutamato, del que forma parte de las proteínas, así como un gramo en forma de aminoácido libre constituyente de los alimentos, y aproximadamente otro gramo debido a su uso como aditivo alimentario.

Puede ser muy difícil evitar por completo el glutamato monosódico, aunque uno no acuda a restaurantes chinos, ya que también se encuentra en la proteína vegetal hidrolizada, en la proteína vegetal texturizada, en la gelatina, los extractos de levadura, el caseinato de sodio y de calcio, el caldo de verduras, el suero de la leche, el saborizante ahumado artificial y en otros ingredientes de productos alimenticios que no aparecen en las etiquetas.

Desde que se sospechó la existencia de una relación causa-efecto, en los últimos 27 años, se ha investigado el tema extensa e intensamente, pero los resultados todavía no están claros. Los primeros casos de esta curiosa reacción alimentaria ocurrieron en restaurantes chinos, y por ello, aunque pueden darse en otros lugares y circunstancias, se ha mantenido el nombre de Síndrome del Restaurante Chino, que se ha hecho universal. Sin embargo, la reacción podría ocurrir en otras situaciones; por ejemplo, tomando ciertos quesos, como el *camembert* francés, que son muy ricos en este tipo de sustancias.

Se trata de un problema que seguramente no es tan frecuente como se pensó al principio, al menos en su forma grave, y lo pueden sufrir tanto los adultos como los niños cuando muestran una especial sensibilidad al glutamato, pues probablemente son incapaces de metabolizarlo de la forma adecuada. Sin embargo, no se puede saber a priori qué personas corren el riesgo de que les ocurran estos episodios.

En la Unión Europea, el glutamato monosódico está clasificado como un aditivo alimentario (E621), y existen normas sobre cómo y cuándo puede añadirse a los alimentos. Generalmente se agrega a alimentos salados preparados y procesados, como productos congelados, mezclas de especias, sopas de sobre y de lata, aliños para ensaladas y productos a base de carne o pescado. Al principio, este producto se extraía de alimentos naturales ricos en proteínas como las algas. En la actualidad, se ha desechado esta práctica, por ser larga y pesada, y se emplea un proceso de fermentación industrial para obtenerlo con una mayor rentabilidad.

Cuando el problema son los eosinófilos

En la sangre humana hay tres tipos de células bien diferenciadas: los glóbulos rojos, que sirven para transportar el oxígeno a los tejidos; las plaquetas, necesarias para que ocurra la coagulación y no suframos hemorragias; y, por último, los glóbulos blancos o leucocitos para defendernos de las infecciones. Dentro de los glóbulos blancos, nos interesa ahora fijar nuestra atención en un tipo concreto, los llamados eosinófilos. Fueron observados por primera vez al microscopio por una de las mentes más lúcidas que ha dado la historia de la medicina, el médico alemán de origen judío Paul Ehrlich, al que en el año 1908 se le concedió, con toda justicia, el Premio Nobel de Medicina o Fisiología, pues entre sus muchos descubrimientos gracias al hallazgo de un nuevo fármaco, el Salvarsan, pudo empezar a curarse la sífilis, una enfermedad que a lo largo de los siglos ha causado estragos en la especie humana.

El nombre de eosinófilos alude a la apetencia de esas células por el colorante eosina, que tiñe su citoplasma para poder identificarlos cuando se miran al microscopio en los laboratorios. Hoy sabemos que dichas células juegan un papel decisivo en las reacciones alérgicas, pues almacenan en su interior una serie de pequeños gránulos con sustancias muy tóxicas que van a ser capaces de inflamar diversos tejidos de nuestro organismo en el transcurso de aquéllas. Pero como casi siempre ocurre en biología, no todo es malo, y los eosinófilos son los elementos que mejor pueden defendernos de las infecciones originadas por parásitos. De hecho, en los países más subdesarrollados, donde las condiciones de higiene y hacinamiento favorecen la proliferación de parásitos, es más frecuente que sus habitantes produzcan un mayor número de dichas células. Sin embargo, cuando la mayoría de los médicos detectan un incremento de este tipo de células en la sangre de sus pacientes, lo primero que piensan es en un proceso alérgico, aunque sabemos los alergólogos que son muchas las enfermedades donde esto puede suceder.

La **esofagitis eosinofílica** es un trastorno poco frecuente, descrito en los últimos años, pero al que haremos alusión porque cada vez son más los casos que se diagnostican en las consultas de Alergología. Tradicionalmente se considera un trastorno propio de la edad infantil, pero también puede diagnosticarse en etapas posteriores de la vida, sobre todo en personas con antecedentes de procesos alérgicos. Paralelamente al aumento a escala mundial de las enfermedades alérgicas, se van estudiando cada vez más pacientes con ese tipo de inflamación del esófago, que es el conducto de 25 centímetros de largo y con un calibre de 3 centímetros que conecta la garganta con el estómago.

En algunos casos, la esofagitis se asocia a una inflamación de la pared del esófago, por la presencia de eosinófilos **(gastritis eosinofílica).** En cuanto a los síntomas que pueden manifestar las personas que padecen este tipo de trastornos están: la dificultad para tragar, los vómitos, las regurgitaciones hacia la boca del contenido alimenticio del estómago, la sensación de ardor, quemazón o dolor detrás del esternón. Para efectuar el diagnóstico, hay que introducir un instrumento óptico llamado endoscopio a través de la boca hasta el estómago, que permita tomar una pequeña muestra del tejido enfermo (biopsia) para poder comprobar su estado al microscopio.

Algunos de los pacientes pueden ser alérgicos a un alimento que es la causa de esa inflamación del esófago, con lo cual una primera medida sería identificarlo para suprimirlo de la dieta.

Capítulo V

Peculiaridades de las reacciones alérgicas a los distintos grupos de alimentos

En 1906 el psiquiatra británico Francis Hare, que trabajaba en Brisbane (Australia), publicó un extenso libro titulado *El factor alimentario en la enfermedad*, donde hablaba de cómo el consumo exagerado de hidratos de carbono y alimentos azucarados podía influir, según él, en la aparición de afecciones muy diversas, entre ellas procesos alérgicos como el asma bronquial (inflamación de los bronquios que disminuye su calibre y dificulta el paso del aire a su través) y los eccemas (enrojecimiento y erupción de pequeñas elevaciones en la piel con mucho picor). Por su condición de experto en enfermedades mentales, a Hare le llamó la atención que algunas personas podían tener una verdadera adicción a los dulces, porque cuando se les recomendaba excluirlos de su dieta habitual aquejaban malestar general y se volvían bastante irritables. Esta observación estaba en la línea de una constatación previa de Hipócrates, el famoso médico griego que allá por el siglo V a.C. sentó las bases de la medicina científica, cuando afirmaba: «Cuanto más nutras a un organismo impuro, intoxicado, mayor daño le producirás».

Aunque las ideas del doctor Hare cayeron en saco roto, no iba a pasar mucho tiempo antes de que otros galenos comenzaran a hablar de la forma en que habían curado enfermedades de sus pacientes que estaban causadas por su especial hipersensibilidad a determinados alimentos. Así, en 1908 el doctor Schofield, un médico inglés, comunicó a los lectores de una prestigiosa revista médica que hoy sigue en boga, *The Lancet*, cómo había descubierto que un chico de 13 años era alérgico a los huevos, pues al comerlos le provocaban ataques de asma. Pero, además, hablaba de su curación, ya que durante siete meses le había ido administrando cantidades muy pequeñas pero crecientes de huevo crudo, hasta que transcurrido ese periodo de tiempo, el paciente logró comer hasta cuatro huevos enteros sin que le causasen de nuevo dificultad respiratoria.

Era la primera vez que en la historia de la medicina se hablaba de una estrategia basada en la tolerancia gradual por parte del sistema inmunológico para vencer las alergias alimentarias, un tratamiento que, como veremos en el apartado correspondiente de este libro, tiene el mismo fundamento que hoy en día emplean los alergólogos que se ocupan de este tipo de pacientes y a investigar vacunas para solucionar estos problemas, cada vez más frecuentes. Estas evidencias nos dan pie para abordar a continuación los distintos tipos de alimentos que pueden causar reacciones alérgicas en el ser humano, comenzando por uno de los más completos y universales, como ahora veremos.

HUEVOS

Este alimento, que contiene un alto valor nutritivo, no es más que una célula de tamaño elevado, probablemente la más grande de la vida animal. Se forma en el ovario, que es el órgano reproductor de las distintas aves, y en concreto la yema corresponde al óvulo.

En general, cuando hablamos del huevo nos estamos refiriendo por antonomasia al procedente de la gallina, que a su vez es el de mayor consumo a escala mundial. Se trata de uno de los nutrientes más completos, por su contenido en proteínas, vitaminas, minerales, ácidos grasos saturados e insaturados, pero a su vez es uno de los alimentos con más capacidad para poder desencadenar reacciones alérgicas, y de hecho cantidades muy pequeñas pueden causar síntomas severos en tan sólo unos pocos minutos desde el momento en que tiene lugar la ingesta.

La explicación es sencilla, habida cuenta del elevado contenido en proteínas de alto valor biológico que posee este alimento (alberga cantidades constantes de aminoácidos esenciales, es decir, de aquellos que nuestro organismo no es capaz de fabricar por sí mismo, por lo que deben ser aportados en la dieta), un hecho que ha llevado a la Organización Mundial de la Salud a proponerlas como un patrón de referencia para poder comparar el contenido de proteínas de otros alimentos. Esta evidencia enlaza con el hecho de que los alérgenos, considerados como unas sustancias extrañas al organismo capaces de inducir la formación de anticuerpos del tipo de la Inmunoglobulina E (IgE) y responsables de las reacciones alérgicas, suelen ser proteínas.

Además, hay que tener en cuenta que la clara del huevo es, por norma general, la implicada en las reacciones alérgicas a dicho alimento, sobre todo en los niños, pues es mucho más rica en proteínas que la yema; entre ellas, la principal es la ovoalbúmina (OVA), que representa el 54 por ciento del contenido proteico. Asimismo, el ovomucoide (OVM) y la ovotransferrina, también llamada conalbúmina, han sido identificadas como alérgenos de interés, aunque también están presentes en la yema, pero en mucha menor cantidad que en la clara. Cabe destacar, por otro lado, el papel de algunas proteínas que pueden ser responsables de reacciones alérgicas en determinados sujetos, como la ovomucina y la lisozima —esta última se utiliza como conservante en alimentos preparados, y, en algunos países como el nuestro además está presente en fármacos, según veremos más adelante—. Tanto la OVA como el OVM, que son los dos alérgenos más destacados del huevo, conservan su capacidad de generar reacciones alérgicas en el organismo humano después de 20 minutos de cocción, es decir, que son resistentes al calor y por ello persisten intactas tras la exposición a altas temperaturas. En este sentido, se sabe que el OVM es mucho más resistente al calor y a la acción de los fermentos o enzimas presentes en el tubo digestivo del ser humano que la OVA. Sin embargo, como en muchos otros aspectos de la patología alérgica, existen enigmas aún sin resolver, por lo que cabe la posibilidad de que una persona tolere el huevo cocido y únicamente manifieste síntomas alérgicos cuando lo toma crudo o poco hecho.

Por su parte, en la yema están presentes otras proteínas, como la apovitelina y la α-livetina o albúmina sérica (es decir que está presente en el suero de la gallina, que es el líquido que queda en un tubo de ensayo una vez que su sangre se coagula). Esta última también se puede detectar en las plumas y en la carne de dicho animal, y es responsable de una rara afección llamada *síndrome aves-huevo*. (Véase el capítulo VI de este libro, titulado «Casos raros que pueden traernos de cabeza»).

Como hemos podido comprobar, hoy en día conocemos bastante a fondo el problema que nos ocupa, pero no sucedió igual en el pasado, y por ello merece la pena hacer referencia a uno de los pioneros en este campo de la investigación, el doctor Oscar Schloss, un pediatra de Nueva York, que en junio de 1912 publicó un curioso caso en una revista médica de su especialidad, el *American Journal of Diseases of Children*. Transcribamos literalmente una breve sinopsis del artículo y luego saquemos conclusiones, que nos van a permitir apreciar cómo, en menos de un siglo, no sólo han cambiado de forma radical las ideas de los médicos sobre la alergia, sino también las de los pediatras sobre la alimentación infantil:

«Se le dio el primer huevo al niño a los 10 días de nacer, pues sufría entonces una ligera diarrea. Se le administró la clara de un huevo mezclada con agua de cebada, sin causarle ningún síntoma. Se le dio huevo otra segunda vez al tener el niño 14 meses, y en esa ocasión mostró los síntomas característicos de la intolerancia al huevo. Se intentó alimentarlo con un huevo pasado por agua, del cual el niño probó un poco, lloró y no quiso más. Casi inmediatamente comenzó a arañarse la boca y se le hincharon la lengua y la mucosa bucal, hasta que llegaron a tener un volumen varias veces mayor de lo normal, y aparecieron ronchas alrededor de la boca. Después de esta experiencia, el niño se negaba a comer huevos.

»El niño solía jugar con cáscara de huevo, lo que le causaba siempre erupción de ronchas en las manos y en los brazos. A los 22 meses se le administró huevo por tercera vez, mezclando con leche más o menos la octava parte de la clara de un huevo. El niño vomitó de inmediato, se le hincharon los labios, la lengua, la cara interna de las mejillas y apareció una urticaria generalizada.

»Al tener 2 años, se le dio una pequeña cantidad de clara parcialmente coagulada entre dos rodajas de pan. Solamente ingirió una cantidad muy pequeña, y de inmediato se transfiguró y comenzó a vomitar profusamente, se le hincharon enormemente los labios y la lengua, y aparecieron ronchas alrededor de la boca. Tenía la cara congestionada, la respiración rápida y las facultades mentales embotadas. Cayó pronto en un sueño intranquilo del que despertó al poco tiempo vomitando varias veces. Se durmió otra vez y despertó después de dos horas y media, aparentemente bien...».

Es evidente que la experiencia es la madre de la ciencia y que hechos como los descritos nos mueven a una reflexión más profunda. Hoy en día, a ningún pediatra o puericultor se le pasa por la mente introducir un alimento que tantas posibilidades tiene de causar una reacción alérgica, como el huevo, a los 10 días de vida, ya que los médicos sabemos que el intestino no está lo suficientemente maduro aún como para aceptar de golpe una carga tan enorme de proteínas sin que aparezcan posibles consecuencias para la salud. Pero además, resulta evidente que el pequeño que atendió el doctor Schloss estaba extraordinariamente sensibilizado al huevo, pues le bastaba con tocar su cáscara para desarrollar síntomas alérgicos.

En estos casos, afortunadamente raros, los alergólogos sabemos que hay que extremar las precauciones al máximo y evitar no sólo la ingesta sino también el contacto con el alimento implicado, porque, sin ánimo de alarmar a la población, tenemos constancia de reacciones severas en personas que son tan sumamente alérgicas, y en ocasiones fatales. No en vano las llamadas *pruebas de provocación con alimentos*, que consisten en volver a darle al paciente para que lo ingiera un alimento al que es supuestamente alérgico —una vez que las pruebas efectuadas en la piel se han negativizado con el paso del tiempo para comprobar su tolerancia—, se deben efectuar siempre en un hospital, con la ayuda de personal debidamente entrenado, a fin de poder hacer frente a una posible reacción alérgica que pueda acontecer.

En el caso de la alergia al huevo, la mayoría de los especialistas extreman las precauciones en este sentido cuando se trata de bebés y niños, y antes de darles a probar el alimento les frotan un poco de clara por la cara, para ver si enrojece y se hincha, con lo cual la reacción alérgica será siempre más leve que la derivada de la ingestión del huevo.

Actualmente se recomienda que hacia el undécimo o duodécimo mes se pruebe a introducir en la dieta del niño cantidades crecientes de yema de huevo, pero siempre cocida, sin llegar a darle a comer el huevo entero hasta el año. Por último, llama la atención que este colega norteamericano no haga referencia al tratamiento de las reacciones alérgicas que desarrolló su paciente, máxime cuando algunas de ellas fueron graves. Sospechamos que los remedios al uso debían de ser escasísimos por aquel entonces, habida cuenta de que las primeras inyecciones de adrenalina, que hoy día es el tratamiento de elección como veremos más adelante para cualquier reacción alérgica de importancia y que en tan sólo unos minutos puede salvar la vida del paciente, se comenzaron a usar en 1903 para tratar a los asmáticos. A su vez el primer antihistamínico hacía acto de presencia en 1944, y por último, la cortisona, cuyas acciones antialérgicas son actualmente sobradamente reconocidas, no se empezó a utilizar en medicina hasta el año 1948 por médicos de la prestigiosa Clínica Mayo de Rochester, en Minnesota. Hasta entonces ser alérgico no sólo debía de suponer una tortura para muchos pacientes, sino que también en algunos casos entrañaba un gran riesgo.

Es un hecho constatado por los pediatras y alergólogos, en nuestra práctica diaria, que el huevo de gallina es uno de los alimentos que más frecuentemente causa alergia en los primeros años de la vida. Además, los pequeños con esta condición suelen tener antecedentes familiares de procesos alérgicos en un alto porcentaje de casos. Debido a la introducción cronológica de los alimentos en la dieta del niño que recomiendan los pediatras en la actualidad, este tipo de alergia suele hacer acto de presencia entre el primero y el segundo año de vida, y nunca antes. Por regla general, los síntomas de la reacción alérgica suelen evidenciarse en los primeros 30 minutos tras la ingestión del huevo y, como ocurren la primera vez que se consume el alimento, se cree que puede haber existido una sensibilización previa, es decir, un primer contacto de aquél con nuestro sistema inmunológico. Esta eventualidad es posible que acontezca durante la vida intrauterina, debido al paso de proteínas al organismo del feto desde la madre a través de la placenta, una vez que aquélla ingiere el huevo como parte integrante de su dieta habitual. Además, también puede darse la posibilidad de que el pequeño se haya sensibilizado a través de la lactancia materna y, más raramente, por el mero hecho de haber inhalado proteínas procedentes del huevo, por ejemplo durante el cocinado del mismo, o bien tras el contacto con instrumentos de cocina contaminados, etcétera. Por otra parte, lo más común es que el niño haya tolerado la yema con anterioridad y que se haya puesto en marcha la reacción alérgica cuando los padres o familiares le dan a probar por primera vez huevo entero, que lógicamente contiene también clara y, como ya apuntábamos antes, es portadora de una mayor carga de proteínas.

Aunque no es lo más habitual, las manifestaciones de la alergia al huevo pueden ser exclusivamente digestivas, en forma de vómitos, si bien es más común que además el niño muestre una erupción en la piel que se acompaña de intenso picor (urticaria, eccema) y otros síntomas adicionales, como le sucedía al paciente del doctor Schloss. En cualquier caso, aunque el compromiso de la reacción alérgica se limite al tubo digestivo, no hay que confiarse en exceso, y no se deben efectuar pruebas caseras en el sentido de darle a comer al niño otro día el huevo para ver qué sucede, sin consultar antes al médico, pues las consecuencias pueden ser impredecibles y existe el riesgo de que los trastornos que aparecen tras un nuevo contacto con el susodicho alimento puedan ser más severos y lleguen a poner en peligro la vida del sujeto, lo cual requiere trasladar con celeridad al paciente al servicio de Urgencias más cercano. Con esto en modo alguno intentamos sembrar una alarma social desde estas páginas, sino que únicamente tratamos de llamar la atención a la población en general de que existen una serie de riesgos potenciales en el caso de la alergia alimentaria, que pueden evitarse con sentido común. Lo más razonable es hablar lo antes posible con el pediatra y con el alergólogo siempre que aparece algún problema con un alimento, para recibir la orientación más adecuada. No es inhabitual que cuando un niño ha sufrido una reacción alérgica al huevo o a cualquier otro alimento tienda a rechazarlo, pues ya se sabe que la naturaleza es muy sabia. Probablemente este tipo de comportamientos inspiraron a Tito Caro Lucrecio (96-55 a.C.), afamado poeta latino, que en su obra *De rerum natura (De la naturaleza de las cosas)* —que tras su muerte dio a conocer Cicerón—, afirmaba: «Lo que es alimento para algunos, puede ser para otros un veneno violento».

Resulta muy curioso que aquellos pequeños que desarrollan una alergia al huevo tengan un riesgo adicional en el futuro de hacerse alérgicos al polen o a otras sustancias respirables presentes en el medio ambiente, con la consiguiente aparición de rinitis (estornudos, obstrucción nasal, destilación acuosa a través de las fosas nasales, picor de la nariz) o episodios de asma bronquial (dificultad respiratoria debida a la inflamación de la mucosa de los bronquios que produce un estrechamiento de los mismos y dificulta el paso de aire a su través). Por ello este tipo de sensibilización alimentaria encierra un gran poder predictivo de posibles trastornos alérgicos futuros.

Los niños con **dermatitis atópica**, una enfermedad de la piel que generalmente suele aparecer cuando en la familia hay antecedentes de procesos alérgicos, aunque no siempre es así, y que se caracteriza por la presencia de enrojecimiento y descamación cutánea (eccema), acompañados de un picor intenso, pueden manifestar su alergia al huevo por un empeoramiento de la afección cutánea, sin que aparezcan síntomas de tipo digestivo o de otra índole. Pero a veces las cosas no son tan sencillas, habida cuenta de que la clara de huevo es rica en histamina, una sustancia que almacenan determinadas células de nuestro organismo y que interviene en todas las reacciones alérgicas, causando enrojecimiento en la piel y picor. Por ello, un paciente con eccema que come huevo puede experimentar picor por la acción de la histamina, aunque no sea alérgico a las proteínas que contiene dicho alimento. Sucede, además, que al ingerir un alimento rico en histamina nuestro organismo libera a su vez una mayor cantidad de la referida sustancia, con lo que se potencia su efecto.

Por otra parte, sabemos que la presencia de proteínas del huevo puede venir identificada en las etiquetas de los productos alimenticios con una serie de nombres muy dispares, que complican la vida del paciente alérgico que debe seguir una dieta exenta del mismo y de sus allegados, como son los padres, los tutores y los profesores en el caso de los más pequeños. Se trata de las siguientes denominaciones: albúmina, coagulante, emulsificante, globulina, lecitina, livetina, lisozima, ovoalbúmina, ovomucina, ovomucoide, ovovitelina, vitelina, colorante, silicoalbuminato, yema, polvo seco de huevo/huevina...

Además de productos alimenticios que pueden ser peligrosos para los alérgicos al huevo, las proteínas del mismo también pueden estar presentes en cosméticos, champús y fármacos (la lisozima como agente bactericida que evita la proliferación de gérmenes indeseables se halla, sobre todo, en gotas nasales y óticas, óvulos vaginales, antisépticos bucales, complejos vitamínicos, laxantes y vacunas que para su fabricación son cultivadas en embriones de pollo: fiebre amarilla, gripe, rabia, triple vírica con gérmenes de sarampión-rubeola-paperas).

Algunos sujetos alérgicos al huevo de gallina pueden serlo también, por similitud en la estructura de las proteínas que contienen, a huevos de otras aves (codorniz, perdiz, pato, ganso, pavo, faisán) y a la carne de pollo, por lo que se debe preguntar al alergólogo a este respecto cuando se acuda a la consulta, quien ha de valorar cada caso particular. Ahora bien, no es menos cierto que, en concreto, la alergia a la carne de pollo asociada a la alergia al huevo es, por fortuna, poco frecuente. Lo contrario también puede suceder, ya que puede darse una perfecta tolerancia a la ingestión de huevo y mostrar el paciente una alergia exclusiva a la carne de pollo, bien tras su ingestión o por el mero hecho de respirar el aire de un corral que contenga esas aves.

Una vez establecido el diagnóstico de alergia al huevo en un niño, lo que más les suele inquietar a los padres es la posibilidad de que esa sensibilización llegue a desaparecer en el futuro o, por el contrario, de que persista en la edad adulta. Lo que a día de hoy les podemos decir los especialistas es que no existe ningún parámetro conocido que permita averiguar en qué momento puede llegar a ser tolerado dicho alimento. Cada uno o dos años será necesario repetir las pruebas cutáneas con las distintas proteínas del huevo, y si en un momento dado se negativizan, deberá efectuarse entonces una *prueba de provocación* en el hospital, que consiste en darle a comer huevo de forma paulatina, y tomar todas las medidas pertinentes por si apareciese una reacción alérgica, con el fin de poder contrarrestarla de manera eficaz. Afortunadamente, la mayoría de los pequeños que muestran hipersensibilidad al huevo acaban tolerando el alimento, más tarde o más temprano.

De cara a prevenir la alergia al huevo en aquellos niños considerados de alto riesgo, bien por sus antecedentes familiares o porque desde los primeros días de vida además han comenzado a presentar eccema en su piel, es posible efectuar una prueba cutánea con el alimento antes de introducirlo en su dieta. Ni que decir tiene que este tipo de estudios, en apariencia sencillos, requieren de la experiencia de un alergólogo cualificado. Lo difícil no es efectuar una prueba cutánea, sino el saber interpretarla adecuadamente y, sobre todo, conocer cómo hacer frente a una posible reacción alérgica que pueda presentarse en cualquier momento.

En cuanto a la dieta de exclusión, hay que tener cuidado de no cocinar los alimentos de la persona alérgica con el aceite en el que previamente se hayan frito huevos, pero además es importante informar a los familiares, profesores y personas allegadas, en el caso de los más pequeños, del problema que padecen, para que estén alerta sobre todo si se quedan a comer en el colegio o si acuden a un cumpleaños o cualquier otro tipo de celebración. Este detalle debe estar siempre presente en la mente del alérgico y de sus familiares cuando acude a un restaurante, máxime cuando el huevo es de los alimentos más utilizados en las diferentes preparaciones culinarias.

Por otra parte, los alimentos que pueden contener proteínas de huevo como alérgeno oculto son muy numerosos. A continuación, detallamos en la tabla adjunta los más destacados.

Tabla 2. Alimentos que pueden contener huevo
• Aceite con el que se haya cocinado previamente huevo. • Algunas margarinas. • Cafés cremosos como el capuchino, espumante en bebidas de raíces/hierbas. • Caramelos, bombones. • Cereales de desayuno. • Harinas para elaborar pan, pasta (fideos, macarrones, espaguetis, tallarines...), sopas de sobre, tortitas, pan rallado... • Productos cárnicos procesados, salchichas, *surimi*, embutidos. • Queso (por su contenido en lisozima). • Rebozados y empanados. • Rellenos de crema, gelatinas, natillas, helados, cuajada, bebidas de cacao, merengue, pudin, sorbetes, suflés. • Repostería: pasteles, bizcochos, bollos, magdalenas, galletas, hojaldres con cubierta brillante... • Salsa bearnesa, salsa tártara, salsas cremosas para ensaladas, mahonesa. • Tortilla, sucedáneos de huevo. • Vinos (si son aclarados con clara de huevo).

Una pregunta que pueden los lectores pensar que no viene a cuento en este apartado: ¿es posible ser alérgico al trabajo? Pues fuera de bromas, en algunos casos se trata de una triste realidad, debido a las consecuencias socioeconómicas que a largo plazo puede tener para los afectados, si no es posible cambiar de actividad. Sabemos que en trabajadores de ciertas industrias químicas, farmacéuticas y, sobre todo, de pastelería, pueden desarrollarse cuadros de asma bronquial, con la consiguiente dificultad respiratoria y aparición de pitos en el pecho, durante la actividad laboral. Se deben a la inhalación de proteínas de huevo, empleado en el caso de la repostería para pincelar los bollos y los pasteles y aplicado en ocasiones a modo de un aerosol en forma de pulverización con finas partículas, que son fácilmente respirables si el operario no se protege adecuadamente con una mascarilla.

Otra enseñanza que podemos sacar del caso del doctor Schloss, ajena a la alergología pero no menos interesante, es que tampoco se deben introducir los cereales (recordemos que en aquella ocasión se le dio al bebé agua de cebada mezclada con clara de huevo) en una fase tan precoz de la vida, por la misma razón que en el caso del huevo, pues nos hallamos ante un intestino muy pobre en defensas para soportar tal ofensa. Lo normal actualmente es no administrar cereales con gluten (cebada, centeno, trigo y avena) hasta después del sexto mes, ante el riesgo no sólo de que ocurra una alergia, sino una intolerancia (enfermedad celiaca) en niños susceptibles. A dicha enfermedad nos hemos referido en el capítulo IV («No es alergia todo lo que parece»).

LECHE Y PROTEÍNAS LÁCTEAS

Resulta curiosa la observación de Hipócrates, considerado el padre de la medicina, sobre un derivado lácteo de gran consumo a escala mundial: «El queso no resulta igualmente dañino a todos los hombres; algunos lo pueden comer hasta la saciedad sin que les ocasione ningún mal, y en ese caso les da una fuerza asombrosa; sin embargo, otros no lo soportan bien. Pero si el queso fuera nocivo a toda la naturaleza humana, hubiera hecho daño a todos». Parece claro que el eminente médico griego tenía constancia de que en su época algunas personas no toleraban adecuadamente los productos lácteos, y refería en sus escritos, al igual que posteriormente lo haría otro eminente médico romano, Claudio Galeno de Pérgamo, casos de alergia a la leche de vaca y de cabra. Además, como nos hace saber en su extraordinario libro *Historia de la gastronomía española* otro galeno, valga la redundancia, el doctor Manuel Martínez Llopis, desde etapas muy remotas de la humanidad los pastores del Lacio bebían la leche de sus cabras y ovejas y al cuajarla elaboraban queso.

Por lo que respecta a la leche de vaca, que es la que más consume el ser humano hoy en día, sabemos que son las proteínas presentes en la misma, de las que se han contabilizado más de 25, entre las que destacan la caseína, la α-lactoalbúmina, la seroalbúmina bovina y la β-lactoglobulina, las que pueden causar reacciones alérgicas en sujetos especialmente predispuestos. Precisamente esta última proteína, que es inexistente en la leche de mujer (la cual continúa siendo el alimento más adecuado para el bebé durante los primeros meses de la vida posnatal), es a su vez la causante del mayor número de sensibilizaciones a la leche de vaca en niños. Se ha estimado que hasta un 5 por ciento de la población infantil puede tener alergia a la leche de vaca, y un 3 por ciento de lactantes en el primer año de vida pueden ser alérgicos a dicho alimento, pero la mayoría de ellos superarán, afortunadamente, el problema a medida que crezcan, y llegarán a tolerar perfectamente la leche durante los seis primeros años de vida y, posteriormente, en la etapa adulta.

Los síntomas que aparecen más comúnmente en alérgicos a la leche son la erupción de ronchas (urticaria) o la hinchazón de la piel o de las mucosas (lengua, labios...), que es lo que se conoce como **angioedema**. Algunos médicos a este último lo siguen llamando **edema de Quincke**, ya que fue el médico alemán Heinrich Irenaeus Quincke el primero que describió dicha afección en 1882 con el nombre de **edema angioneurótico.**

Después de las manifestaciones cutáneas, serán las de tipo digestivo las más frecuentes: náuseas, vómitos, diarrea, dolor abdominal... En el lactante de corta edad, el llanto cuando se le da biberón o el rechazo claro del mismo pueden ser el único indicio de que existe una alergia a las proteínas de la leche de vaca (PLV). Puesto que con el paso del tiempo la mayoría de los niños alérgicos a estas proteínas acabarán tolerando el referido alimento, este tipo de alergia en el adulto resulta excepcional, aunque algunos casos se han publicado en las revistas médicas relativos a la persistencia de la sensibilización años después de haberse iniciado, o que han comenzado en la madurez.

Los alergólogos hemos constatado en nuestra práctica que los pacientes que son alérgicos a proteínas de la leche de vaca pueden reaccionar con pequeñas cantidades de las mismas, incluso si están presentes como contaminante menor de algunos alimentos o si se inhalan en forma de polvo. La contaminación por leche de productos manufacturados es posible si el mismo equipo o utensilios de fabricación son usados para varios productos, sin que haya una limpieza adecuada.

La alergia a las PLV suele aparecer durante el primer año de vida, generalmente en el transcurso del primer semestre, y es rara su existencia después de los 2 años. Hoy en día sabemos que hay una serie de factores que favorecen la misma, como una predisposición genética a padecer afecciones alérgicas o el contacto precoz con dosis mínimas y repetidas de este tipo de proteína. Dicha exposición eventual puede establecerse a través de la lactancia materna, cuando la madre ingiere leche u otros productos lácteos mientras le da de mamar a su hijo, pero también puede tener lugar por la toma ocasional de aquélla por parte del bebé. Este último fenómeno es conocido en términos coloquiales como *biberón pirata*, ya que cuando la madre y el niño están ingresados aún en la maternidad, una vez que se ha producido el parto, al quedarse el recién nacido con hambre tras una de las tomas, para calmar su ansiedad y su llanto se le puede llegar a ofrecer un biberón suplementario de leche en polvo.

La lactosa, un azúcar de la leche susceptible de contener proteínas lácteas residuales, puede encontrarse en comidas y también como excipiente en la producción de fármacos. Pero no hay que confundir una alergia a las PLV con una *intolerancia a la lactosa*, que significa que el paciente que la sufre carece en su intestino de la cantidad necesaria de la enzima lactasa, necesaria para descomponer la lactosa en fragmentos de menor tamaño que puedan ser absorbidos por la mucosa intestinal. En consecuencia dicho azúcar acabará fermentando en el intestino, al no lograr atravesar su pared, y causará diversos trastornos en forma de náuseas, flatulencia, distensión abdominal, diarrea y retortijones. En el caso de los niños intolerantes a la lactosa, las heces, que son ácidas y se expulsan de manera explosiva, por su carácter irritante pueden causar un enrojecimiento con descamación en el área del pañal. Éste puede ser un primer indicio del problema de salud que padecen los intolerantes a la lactosa, que muchas veces se diagnostica cuando el paciente es ya adulto. Los intolerantes a la lactosa pueden admitir el yogur y el queso, pero existen diferencias individuales en este sentido.

Existe un método para hacer el diagnóstico del proceso: el llamado *test del hidrógeno espirado*, que consiste en administrar por vía oral una sobrecarga del referido azúcar e ir haciendo soplar al paciente en un aparato que detecta la cantidad de hidrógeno que se produce en el intestino por la fermentación que en su interior ocurre y que a su vez se elimina con el aliento en forma de gas.

Esta patología se presta a abstraer una serie de conclusiones antropológicas que demuestran de nuevo cómo el ser humano es capaz de adaptarse a las condiciones más adversas para lograr sobrevivir. Así, en áreas de Europa, del norte de Asia y del norte y sur de África, donde la domesticación de animales se remonta a 8.000 ó 10.000 años atrás, sus pobladores suelen tolerar perfectamente la lactosa contenida en la leche. Esto resulta ventajoso desde el punto de vista evolutivo, porque permite que sea adecuada la capacidad para absorber calcio en el intestino humano, lo cual previene la aparición de raquitismo en los niños y de reblandecimiento de los huesos en los adultos (osteomalacia). Dicha función cobra especial interés en zonas donde las horas de exposición a la luz solar a lo largo del año son escasas, como sucede en países del norte de Europa, pues se va a ver comprometida la fabricación de vitamina D en la piel (necesaria para la absorción intestinal del calcio) por efecto de los rayos ultravioleta. Una deficiencia de este tipo puede, a su vez, producir deformidades en la pelvis femenina, dificultar, por tanto, el parto y afectar lógicamente a la perpetuación de la especie. Pero hay puntos oscuros en este tipo de observaciones, pues, por ejemplo, apenas se produce la intolerancia a la lactosa en algunas poblaciones del África tropical con tradición pastoril ni entre los habitantes de la península de Arabia, que emplean la leche de camello en su dieta habitual por su gran poder nutritivo.

Si una persona es alérgica a las proteínas de la leche de vaca, la ingestión de la leche de otros rumiantes, como la cabra y la oveja, también llega a causarle síntomas. Es lo mismo que puede suceder con el queso *mozzarella*, elaborado con leche de búfala, muy usado en preparaciones culinarias de origen italiano. Sin embargo, cuando un alérgico a PLV come carne de vaca, suele tolerarla, ya que la seroalbúmina bovina, que es la proteína responsable de las alergias a este último alimento resiste poco la acción del calor y, por tanto, se destruye durante el cocinado del mismo.

La gravedad de las reacciones alérgicas a estas proteínas es variable: pueden aparecer desde manifestaciones leves limitadas a una erupción en la piel, hasta cuadros más graves como la anafilaxia (reacción alérgica generalizada y grave con descenso de la tensión arterial, capaz de poner en peligro la vida de la persona afectada).

Pero, además, aunque suele ser la ingestión de la leche la causante de los fenómenos alérgicos, pueden surgir reacciones por el mero contacto cutáneo con cantidades mínimas del alimento, bien sea directo o indirecto, como sucede con una persona sensibilizada a las PLV que recibe el beso de otra persona que haya consumido lácteos, y en el caso de los adultos, tras la inhalación del alérgeno por parte de operarios de determinadas industrias que las emplean durante el proceso de fabricación. Es decir, algo similar a lo que comentábamos con anterioridad de personas que se hacen alérgicas al huevo cuando lo respiran en forma de finas partículas en el desempeño de su profesión.

Extractos de proteínas de leche añadidas a alimentos manufacturados conservan su capacidad para generar reacciones alérgicas, y pueden venir descritas en las etiquetas de los productos elaborados industrialmente con distintos nombres, como sucede con las proteínas del huevo de gallina. Éstas son algunas de las denominaciones más frecuentes, que pueden ser motivo de confusión: caseína, caseinatos, lactoalbúmina, lactoglobulina, mantequilla, manteca sólida, caramelo, queso, crema, cuajada, cuajo, suero, suero desmineralizado, suero en polvo, aromas naturales, yogur, lactato, lactoferrina, lactoglobulina, lactosa, lactulosa, H4511, H4512, etcétera.

Una vez establecido el diagnóstico de alergia a la leche de vaca, las estrategias que se han de poner en marcha van a variar en función de la edad del paciente. Si se trata de un bebé de menos de seis meses de vida, la lactancia materna será el sustituto ideal. En niños más mayorcitos, se pueden emplear *hidrolizados de caseína* de los cuales los mejor tolerados son los que tras su manufacturación están extensamente hidrolizados *(leches hipoalergénicas)*, frente a aquéllos con un bajo grado de hidrólisis. La hidrólisis consiste, ni más ni menos, en digerir artificialmente determinadas proteínas de la leche como la caseína, mediante la adición de enzimas, que a su vez son sustancias capaces de provocar o de acelerar determinadas reacciones químicas; de forma adicional, para contribuir con otra metodología a la destrucción proteica y asegurarse de que la transformación de la leche es adecuada, se puede someter a la misma a la acción de altas temperaturas. Un inconveniente de las *fórmulas extensamente hidrolizadas* es que su sabor no resulta agradable, a diferencia de las *fórmulas parcialmente hidrolizadas.* Pero otra alternativa a los hidrolizados en los alérgicos a las proteínas de la leche de vaca es el empleo de leches de soja, de mejor sabor que aquéllos y también más baratas. Por último, en el supuesto de que un bebé que fuese alimentado con leche de soja se hiciese también alérgico a esta legumbre, existen en el mercado las llamadas *fórmulas elementales,* que únicamente contienen aminoácidos, es decir, los eslabones que constituyen las proteínas, glucosa y aceites vegetales. Con este tipo de preparados no existe el riesgo de que aparezcan reacciones alérgicas, pero su principal inconveniente es el precio, mucho más elevado que el de las fórmulas de hidrolizados de proteínas de la leche.

Muchos alergólogos y pediatras, una vez que se ha efectuado el diagnóstico de alergia a la leche, prefieren realizar, además, pruebas cutáneas con proteínas de huevo, o bien le extraen sangre al paciente para comprobar si existen en la misma anticuerpos de tipo IgE dirigidos contra las proteínas del huevo, que son los causantes de la mayoría de las reacciones alérgicas. El fundamento de esta conducta es que, sobre todo cuando existen antecedentes familiares de alergia y además el niño padece eccema, las probabilidades de que se asocien una alergia a la leche y al huevo son mayores. Aunque el pequeño no haya probado nunca el huevo, hay que tener en cuenta que ha podido sensibilizarse a las proteínas que contiene a través de la placenta durante el embarazo, si la madre come dicho alimento en el transcurso de la gestación, como ya subrayamos con anterioridad.

Excluir la leche de la dieta habitual no representa actualmente ningún problema en cuanto a que pudieran surgir desequilibrios nutritivos a largo plazo por la necesidad de obtener suplementos de calcio que tienen los niños durante su etapa de crecimiento, puesto que existen muchos otros alimentos que contienen dicho mineral, incluso asociado a vitamina D, que favorece su absorción intestinal.

Son muy diversos los alimentos que pueden contener proteínas lácteas y que, por tanto, deberían ser evitados por personas alérgicas a las PLV. A continuación se repasan en la tabla adjunta los más importantes.

Tabla 3. Alimentos que pueden contener proteínas de leche de vaca

- Algunos tipos de pan de molde.
- Calamares congelados.
- Conservas de legumbres.
- Dulces y postres: galletas, pasteles, magdalenas, tartas, cuajada, helados, pudin, sorbetes, batidos (incluidos los vegetales), chocolate, bombones, caramelos.
- Embutidos con caseinatos.
- Horchata.
- Margarina y mantequilla.
- Medicamentos.
- *Muesli.*
- Papillas lacteadas.
- Productos cosméticos.
- Rebozados.
- Salsas, cremas, sopas de sobre, puré de patata, cubitos de caldo.

CARNE DE MAMÍFEROS

Se trata de un tipo de alergia muy poco común, a pesar del elevado consumo de este tipo de productos que tiene lugar en nuestros días. La carne de cerdo es la principal responsable de este tipo de reacciones, y la implicada con menor frecuencia, la de cordero.

Por lo que respecta a la carne de vaca, entra dentro de lo posible que una persona sensibilizada a ésta también pueda desarrollar cuadros alérgicos al ingerir leche o derivados lácteos, aunque se trata de una rara eventualidad. Suele ser la seroalbúmina bovina, una proteína que también tiene determinados usos en medicina, la causante de la reacción alérgica. Sin embargo, es raro que pueda desarrollarse una sensibilización a la misma a través del consumo de carne, porque con el cocinado, dicha proteína se degrada y pierde su poder para desencadenar fenómenos alérgicos.

Mucho más raro es que un paciente alérgico a determinados antibióticos, como la penicilina o la estreptomicina, pueda reaccionar al comer carne, puesto que dichos fármacos se usan para prevenir y para tratar determinadas infecciones en el ganado, bien en forma de inyecciones o añadiéndose en ocasiones a los piensos. Cuando aparece una alergia a la carne de res, como alternativas pueden barajarse la carne de cordero y las de aves como el pollo y el pavo.

Cabe la posibilidad de que una persona que por su profesión de carnicero, cocinero o pinche tenga contacto repetido con carnes de mamíferos pueda presentar cuadros de dificultad respiratoria y de erupciones con picor en la piel, pero que cuando come ese tipo de alimentos no manifieste reacción alérgica alguna. Sería un tipo de *alergia profesional*, que, como luego veremos al referirnos a los cereales, puede suceder también en panaderos y pasteleros.

En el caso de los embutidos, puede ocurrir que no sea la carne la responsable de una reacción alérgica, sino en realidad algún aditivo como la harina de soja, féculas, mostaza, etcétera. Veamos a continuación el siguiente caso en relación con este asunto, que tuvimos ocasión de estudiar en el Servicio de Alergología del Hospital General Universitario Gregorio Marañón. Se trataba de una paciente de 45 años que a los 30 minutos de haber ingerido una pizza con *pepperoni* tuvo náuseas, vómitos y erupción de ronchas por toda la superficie de su piel, por lo que hubo de acudir a un servicio de urgencias para recibir tratamiento con cortisona y antihistamínicos. Como la enferma refería que con posterioridad había tolerado la ingestión de pizza sin *pepperoni* y de carnes de cerdo y de vacuno, nos pusimos a investigar. Así nos enteramos de que *pepperoni* no es una palabra italiana, sino una corrupción de la palabra *peperoni*, que es el plural de *peperone*, en realidad el nombre italiano del pimiento o pimentón. Pero, además, con el nombre de *pepperoni* se designa en Estados Unidos a un embutido de sabor picante muy similar al salami. Está elaborado generalmente a base de cerdo o de una combinación de carnes de cerdo, res y ternera, y condimentado con diferentes tipos de pimienta. Actualmente también se emplea en algunas pizzerías de nuestro país y, en concreto, en el etiquetado de la pizza que había comido la paciente y que le había causado la reacción alérgica, figuraba lo siguiente: «carne de cerdo y ternera, tocino, sal, especias, dextrosa, aroma, antioxidante E-316, conservador E-250, colorante E-124 y tratamiento de superficie con los aditivos E-202 y E-235».

Las pruebas cutáneas que efectuamos fueron negativas con pimienta negra y salami, y positivas con *pepperoni*. La pista nos la dio un antecedente clave en la historia clínica, pues 20 años antes la paciente había sido diagnosticada de alergia a la mostaza en otro hospital. Puestos en contacto con la casa comercial que elaboraba el referido embutido, se nos informó de que entre los ingredientes también estaba presente la harina de mostaza, aunque no se hacía alusión a la misma en la etiqueta. Al efectuar pruebas adicionales, comprobamos que, en efecto, la mujer seguía siendo muy alérgica a la mostaza.

PRODUCTOS MARINOS Y 'ANISAKIS'

La alergia a este tipo de alimentos cobra especial importancia en España, por ser el segundo país en consumo de pescados dentro de la Comunidad Económica Europea, por detrás de Portugal. Después de la leche de vaca y el huevo, el pescado ocupa el tercer lugar dentro de la alergia a los alimentos. Atrás quedaron los tiempos de la Grecia de Homero en que el pescado de río, y el procedente de los acuarios y viveros, era el que llegaba a la mesa de los ricos, mientras que se consideraba al pescado que venía de la mar un alimento destinado a los pobres marineros.

Hoy sabemos que la mayoría de los pacientes inician este tipo de alergia en los dos primeros años de vida, cuando se introduce por primera vez en la dieta el pescado, pero también se han observado casos de reacciones alérgicas en niños alimentados exclusivamente con leche materna, cuando la madre había comido pescado, aunque se trata de un fenómeno extraordinariamente raro.

Además de la ingestión, el mero contacto o la exposición a los vapores de cocción pueden causar reacciones alérgicas. Como curiosidad, comentaremos la posibilidad de raros casos de alergia de contacto descritos en cuidadores de delfinarios que, al tener que alimentar a esos animales con arenques, pueden desarrollar una dermatitis o erupción de ronchas en las manos. Por supuesto, los pescadores y pescaderos si no protegen adecuadamente sus manos y son susceptibles, también pueden sufrir este tipo de problemas en su piel. Lo más frecuente es que se manifiesten como erupción de ronchas, generalmente asociadas a hinchazón de un área cutánea determinada o de una mucosa (labios, lengua...), pero en ocasiones puede haber síntomas digestivos aislados (dolor abdominal, náuseas, vómitos, diarrea...).

Los tipos de pescado que son responsables de reacciones alérgicas dependerán de las costumbres alimenticias de una región determinada y también de los propios hábitos de consumo de las poblaciones. Es un tipo de alergia alimentaria compleja, máxime cuando el mundo de los peces abarca 445 familias, que incluyen 4.000 géneros y más de 20.000 especies.

Puede encontrarse proteínas de pescado en productos manufacturados que, aparentemente, no llevan pescado, en forma de aceite o harina sobre todo. No se trata de un alérgeno oculto muy frecuente, pero podemos hallarlo en algunas salsas de ensalada (por ejemplo, salsa de ensalada César o salsa Worcestershire, debido a la posible presencia de anchoas).

Cuando se establece el diagnóstico de alergia al pescado, el único tratamiento posible es la dieta de eliminación de este tipo de nutrientes. Puede ocurrir que un determinado sujeto únicamente muestre alergia a los pescados blancos y tolere los azules (son los que tienen un mayor contenido graso), y viceversa; pero deberá ser siempre el alergólogo el que establezca las medidas dietéticas que deberán instaurarse en cada caso concreto. Sabemos que el atún es de los alimentos que tiende a causar un menor número de reacciones alérgicas.

Aunque la alergia al pescado suele ser más duradera que la alergia a la leche o al huevo, también es susceptible de desaparecer con el paso del tiempo, sobre todo en niños y en jóvenes.

De cara a la prevención, se recomienda no introducir el pescado en la dieta del niño antes de los 12 meses de vida, un periodo que se puede prolongar algo más cuando existan antecedentes familiares de procesos alérgicos.

Precisamente fue gracias al doctor Heinz Küstner (1897-1963), que trabajaba en la Universidad de Leipzig y era muy alérgico al pescado —ya que con sólo llevarse un trozo a la boca se le hinchaban los labios—, como se efectuó un descubrimiento trascendental para la alergología. Su colega y ayudante Otto Prausnitz (1876-1963) se inyectó en la piel una pequeña cantidad de suero procedente de la sangre del primero, y cuando a las 24 horas se inoculó en el mismo punto una pequeña dosis de extracto de pescado, comprobó que la zona se enrojecía y que aparecía un habón. Pero, además, Prausnitz era alérgico al polen de las gramíneas, y cuando inyectó una pequeña cantidad de su suero en la piel de su jefe y posteriormente le inoculó el polen, como había hecho él mismo con el pescado, sucedía algo similar. Los dos investigadores germanos habían demostrado de este modo que la alergia se podía transferir de una persona a otra, y en su honor al procedimiento se lo denominó, aprovechando las iniciales de sus apellidos, *reacción de P-K.* Yo tuve ocasión de ver, cuando comencé mi especialidad, a algunos pacientes en el hospital a los que se les aplicaba esta técnica para demostrar que en el origen de sus dolencias intervenía un mecanismo alérgico. Se hacía, por ejemplo, con la ayuda de un familiar cercano del paciente alérgico, al que se le inyectaba debajo de la piel una pequeña cantidad de suero del afectado, es decir, del sobrenadante obtenido en un tubo de ensayo una vez que su sangre se había dejado coagular. Hoy en día esta técnica está en desuso, ya que comporta el riesgo de transmisión de enfermedades como la hepatitis viral o el sida, pero también porque es más fácil determinar en el laboratorio con una muestra de sangre del sujeto alérgico, la Inmunoglobulina E frente al alimento que se desee investigar, para establecer el diagnóstico en un breve plazo de tiempo. Este tipo de análisis resulta de gran interés para estudiar los procesos alérgicos cuando el enfermo está en tratamiento con antihistamínicos, que negativizan las pruebas cutáneas por un periodo de tiempo variable, en función del preparado que emplee el paciente.

Bajo la denominación de mariscos se agruparían los crustáceos (gamba, langostino, cangrejo...), los percebes y los moluscos (tanto los cefalópodos —calamar, sepia, pulpo...—, como los bivalvos del tipo de la almeja, la ostra, la coquina, la chirla, el mejillón y la vieira, además de gasterópodos como las lapas y el caracol de tierra). El contenido proteico de estos alimentos es elevado, y en personas muy sensibles pueden aparecer síntomas tras inhalar los vapores de cocción o las partículas desprendidas durante su manipulación (corte, desconchado...). Los que se desarrollan más frecuentemente en las personas alérgicas son erupción de ronchas en la piel (urticaria) y/o hinchazón de determinadas áreas del cuerpo (cara, manos, pies...). Puesto que las proteínas de este tipo de alimentos se dispersan en forma de finos aerosoles durante la manipulación de los mismos, los trabajadores de determinadas industrias pueden sufrir reacciones alérgicas variadas, que van desde una urticaria de contacto o una dermatitis (eccema) en las manos hasta episodios de asma y manifestaciones clínicas mucho más complejas. Sabemos además los especialistas que corren más riesgo de presentar este tipo de síntomas los individuos con antecedentes personales y/o familiares de procesos alérgicos.

El *Anisakis* es un parásito con forma de gusano; el primero en describirlo fue Felix Dujardin en 1845, pero el primer caso de afectación humana del que tenemos noticia es el de un niño groenlandés en el año 1876.

La infestación por este parásito se ha descrito fundamentalmente en Japón, dado el alto consumo de pescado crudo que tiene lugar en ese país, por sus hábitos culinarios. Sin embargo, en los últimos años se han registrado también numerosos casos en América y, sobre todo, en Europa, como sucede actualmente en nuestro país. Sabemos que el hombre adquiere las larvas al ingerir pescado crudo o poco cocinado, ahumado, en salazón, seco o en vinagre. Las especies parasitadas son muchas, entre las que se incluyen la sardina, el abadejo, la merluza, la pescadilla, el bacalao, el arenque, el salmón, la caballa, el bonito, el jurel, etcétera.

Entre los cefalópodos, el más parasitado es el calamar, pero en España el pescado más afectado parece ser la merluza, aunque la mayoría de los casos descritos se han relacionado con la ingestión de boquerones en vinagre, ya que el parásito puede permanecer vivo en este medio varios días.

El *Anisakis* es, a su vez, un parásito de los cetáceos, que son aquellos mamíferos perfectamente adaptados al agua de mar, como los cachalotes, delfines, ballenas, focas, narvales, rorcuales, orcas y calderones. Los huevos del *Anisakis* adulto son eliminados con las heces de dichos animales, y en el agua se desarrollan hasta llegar al estadio de *larva infectante*, que es ingerida generalmente por un crustáceo, en cuyo organismo continúa desarrollándose y alcanza un tamaño de cinco milímetros de longitud. A su vez, al ser comido el crustáceo por un cefalópodo o por un pez, las larvas atraviesan el tubo digestivo y llegan hasta los tejidos, donde se desarrolla un nuevo tipo de larva, que crece hasta alcanzar aproximadamente tres centímetros de longitud. Pero el ciclo de estos parásitos no se completa hasta que no son ingeridos por un mamífero marino y alcanzan entonces el estadio de gusano adulto. A su vez, el hombre entra en el ciclo como huésped accidental, debido al consumo de pescado crudo o poco cocinado. En efecto, aunque el *Anisakis* se localiza únicamente en las vísceras del pez, una vez que éste muere tras ser pescado, su parásito es capaz de migrar hasta la carne, que luego será consumida por el ser humano. Por ello, es menos probable el contacto con el parásito si lo que se ingiere es la cola del pez, pues está mucho más alejada de su aparato digestivo.

La distribución del parásito es universal; pueden estar infestados cetáceos de todos los mares del mundo, y en concreto, en el Atlántico y el Mediterráneo la tasa de contaminación es elevada en este sentido. En los últimos años se ha visto incrementada notablemente la población de *Anisakis*, debido a las campañas ecologistas que velan por la conservación de especies amenazadas como las focas y las ballenas.

En cuanto a los peces más frecuentemente implicados en la transmisión de larvas al hombre, son la merluza, el boquerón y el bacalao. Y con independencia de la distinta procedencia de las especies que se consumen en España (es mayor la parasitación en el mar del Norte, en el Pacífico sur y en la región septentrional del océano Atlántico), también deben tenerse en cuenta las costumbres culinarias. En la Comunidad de Madrid está muy arraigado el hábito de comer boquerones en vinagre, mientras que en el Norte el pescado suele comerse a la plancha y poco hecho, por lo que en ambos entornos son mucho más frecuentes los casos de estas reacciones alérgicas.

Por otra parte, algunas proteínas del *Anisakis* responsables de las reacciones alérgicas cuando se consume el pescado parasitado son termoestables, por lo que en ocasiones, a pesar de estar aquél congelado o muy cocinado pueden desarrollarse reacciones adversas.

La parasitación por *Anisakis simplex* (nombre completo) en el hombre puede producir distintos cuadros clínicos, como veremos a continuación. Así, cuando las larvas atraviesan la pared del estómago van a originar un dolor muy intenso en dicha víscera, con náuseas y en ocasiones vómitos. Pero también pueden asociarse otros síntomas como erupción de ronchas en la piel (urticaria), hinchazón cutánea e incluso reacciones más severas con sensación de mareo y desvanecimiento por disminución de la tensión arterial **(Anisakiasis gastroalérgica)**; en este caso, la persona afectada precisará tratamiento urgente.

Esta alergia se debe sospechar en pacientes que sufren reacciones después de comer pescado, pero que no ocurren siempre que se consume el alimento, porque no se trata de una alergia a la carne del pescado, sino a los parásitos que puede contener, y éstos no tienen por qué estar presentes en todas las capturas. Es importante, además, tener en cuenta que en España está bastante extendido el hábito de cenar pescado, por lo que el paciente puede debutar con picor o urticaria nocturnos o que le interrumpen el sueño durante la madrugada, sin asociar, de entrada, la reacción con el referido alimento.

Fue en el año 1995 cuando un equipo de alergólogos del Hospital Santiago Apóstol de Vitoria publicó en una de las revistas más prestigiosas de la especialidad, la norteamericana *Journal of Allergy and Clinical Immunology*, el primer caso de que se tenía noticia en nuestro país de alergia al *Anisakis.* Se trataba de una paciente de mediana edad que había presentado cuadros repetidos de reacciones alérgicas severas tras ingerir pescado, pero que sólo ocurrían en ciertas ocasiones. Tras constatar que las pruebas cutáneas eran negativas a la carne del pescado, comenzaron a sospechar estos colegas que algún factor adicional debía de ser la causa. A partir de entonces, el resto de los alergólogos que tuvimos noticia de aquella publicación nos pusimos en guardia, y efectuamos diagnósticos similares en otros muchos puntos de la geografía nacional.

Actualmente, para efectuar el diagnóstico, el alergólogo realiza una prueba cutánea con un extracto del parásito, pero hay que tener en cuenta que hasta un 9 por ciento de sujetos sanos sin antecedentes de reacción alérgica, tras la ingestión de pescado pueden tenerla positiva. Además, para cuantificar el grado de sensibilización a él hay que extraer sangre al paciente y efectuar un tipo de análisis especial (RAST, CAP).

En cuanto al tratamiento, la endoscopia digestiva (introducción hasta el estómago, a través de la boca y del esófago, de un instrumento óptico) permite visualizar las larvas del parásito en la mucosa del estómago y extraerlas con una pinza. En raros casos de obstrucción intestinal puede ser necesario recurrir a la cirugía.

Cuando aparece una reacción alérgica por consumo de pescado parasitado con *Anisakis*, se usarán antihistamínicos y corticoides. Si se presenta un cuadro de anafilaxia (reacción alérgica severa con descenso de las cifras de tensión arterial) o un edema de glotis (aparición de líquido en el espacio que existe entre las cuerdas vocales, que dificulta la respiración), el primer tratamiento en el que debemos pensar es la adrenalina, que se puede administrar por vía intramuscular o subcutánea. En cualquier caso, una vez superado el episodio agudo, el paciente deberá acudir lo antes posible al alergólogo, para llevar a cabo un estudio del problema. Aunque algunos especialistas tienden a instaurar dietas de exclusión de productos marinos por periodos más o menos prolongados, solemos ser mayoría los que le permitimos al paciente que coma de entrada productos marinos, pero siempre ultracongelados.

Ahora bien, como en cualquier campo de la actividad médica, lo más importante es la prevención, y en este sentido sabemos que las larvas de *Anisakis* se destruyen con el calor siempre que la temperatura a la que se las someta sea de 60 ºC durante al menos 10 minutos. Sin embargo, se ha visto que aquéllas pueden sobrevivir a la acción del microondas, ya que el calentamiento no es homogéneo en ese tipo de horno y en ocasiones el interior del pescado no alcanza dicha temperatura. También se destruyen las larvas con frío si se alcanzan los –20 ºC durante al menos 48 horas de congelación. Por el contrario, dichos parásitos son capaces de sobrevivir en condiciones muy adversas, como 50 días a 2 ºC, 2 meses en vinagre y 2 horas a –20 ºC. Estas medidas tendentes a causar la muerte del *Anisakis* se harán extensivas a los pescados procedentes de piscifactoría y de río. Tampoco garantiza la destrucción de las larvas el hecho de comer el pescado a la plancha o en forma de salazón, ahumado, marinado o escabeche.

Pero el peligro de que podamos sufrir una reacción alérgica o un trastorno digestivo por *Anisakis* no sólo lo hallamos por el consumo de un plato tan tradicional de la gastronomía española como los boquerones en vinagre, sino por otras prácticas culinarias similares propias de otros entornos geográficos: *shusi* y *sashimi* japonés, *lomilomi* hawaiano, *gravlax* nórdico y cebiche suramericano, muy típico sobre todo del Perú.

Sin embargo, también surgen hechos curiosos que pueden ayudar a explicar que no siempre la exposición a un riesgo determinado, como en este caso es comer pescado parasitado por *Anisakis*, se traduce necesariamente en un problema de salud. Así, es conocida la capacidad destructiva del jengibre sobre las larvas del referido parásito. Precisamente, los chinos suelen añadirlo al pescado, porque además lo emplean como medicamento con diversos usos, como puede ser la necesidad de combatir la gripe y el resfriado. De hecho, esta especia es originaria de las islas del Pacífico y se cultiva desde tiempos remotos en el sureste asiático como planta aromática.

Otra medida preventiva eficaz consiste en llevar a cabo la eliminación precoz de las vísceras del pescado en alta mar para disminuir la migración de las larvas desde aquéllas hasta el músculo, una vez que son efectuadas las capturas.

Los individuos que han sufrido una reacción alérgica grave por consumo de pescado parasitado con *Anisakis* deben abstenerse de comer productos marinos durante un tiempo más o menos prolongado, que es variable en función del criterio de cada especialista pero en mi opinión no inferior a 6 meses, para volver a introducirlo con posterioridad a base de ultracongelados.

Respecto a las conservas de pescado, hay que diferenciar los enlatados de los envases de cristal que precisan para su conservación refrigeración, ya que mientras que los primeros han sido sometidos a un proceso de cocción en las fábricas de origen, en el caso de los segundos las larvas del parásito pueden permanecer viables. En cualquier caso, debe ser el alergólogo el encargado de analizar cada situación particular.

La Unión Europea obliga en su normativa al reconocimiento visual del pescado, a la extracción de los parásitos que sean visibles y a desechar para el consumo humano aquellas piezas que pudieran estar muy parasitadas.

La importancia que ha adquirido en los últimos años la infestación por *Anisakis* en España ha llevado al Ministerio de Sanidad y Consumo a declarar en un Real Decreto de 1 de diciembre de 2006 la obligatoriedad por parte de los establecimientos que sirven comida de congelar previamente los productos marinos que se van a consumir crudos o semicrudos, en escabeche o en salazón, a una temperatura igual o inferior a 20 ºC durante al menos 24 horas. Más restrictivas son en este aspecto las medidas recomendadas en Norteamérica por la FDA (US Food and Drug Administration), pues exige que todos los alimentos procedentes del mar que no se vayan a cocinar a temperaturas que superen los 60 ºC sean congelados a –35 ºC durante más de 15 horas o a –23 ºC por un periodo mínimo de 7 días.

Algunas personas que acuden a las consultas de alergología sufren erupción de ronchas en la piel prácticamente a diario, que es lo que se llama **urticaria crónica**. En la mayoría de los casos, después de efectuar análisis muy complejos no es posible encontrar ningún factor causal, por lo que lo único que se le puede ofrecer al paciente es un tratamiento continuado con antihistamínicos, que a veces debe prolongarse durante años. En un país como el nuestro, donde se registra un alto consumo de productos marinos, no es raro que muchas de las personas que padecen este tipo de afección sean, además, alérgicas al *Anisakis;* es decir, que tengan una prueba cutánea positiva o IgE frente a él presente en su sangre. Sin embargo, aunque como en casi todo en medicina hay estudios a favor y otros en contra, la experiencia diaria nos demuestra que instaurar una dieta exenta de pescado no logra mejorar el proceso, pues generalmente no es la causa de la urticaria. Además, hay que tener en cuenta que este tipo de alimentos resultan muy saludables, por su contenido en determinados ácidos grasos esenciales y otras sustancias cardiosaludables, sobre todo para los individuos con niveles elevados de colesterol, por lo que una prohibición estricta puede resultar perjudicial a largo plazo.

Aparte del *Anisakis*, se conocen muchas otras especies de parásitos que pueden producir infestación en humanos por ingerir pescado crudo o parcialmente cocinado, aunque están menos estudiados.

Legumbres

Son un grupo de alimentos de gran interés para la nutrición del ser humano, por su bajo contenido en grasas y su riqueza en proteínas de alto valor biológico, vitaminas y minerales. De hecho, su consumo regular ayuda a descender los niveles de

colesterol en la sangre y contribuye a reducir la tasa de enfermedades cardiovasculares. No hay que olvidar que entrañan un aporte importante y barato de fibra dietética, el cual ayuda a combatir el estreñimiento y a prevenir afecciones del colon, como los divertículos (oquedades a modo de dedo de guante que se forman en las asas intestinales) o el cáncer.

En los últimos años hemos asistido a un redescubrimiento de este grupo de alimentos, una vez superados falsos mitos de que engordan o son difíciles de digerir. Además, en comparación con otras fuentes proteicas, su capacidad alergénica —es decir, el poder que encierran para causar reacciones alérgicas— es escasa. Sí es cierto que el vulgo, al margen de que puedan causar reacciones alérgicas, considera en general a las legumbres indigestas. Ello obedece a que contienen una serie de azúcares que nuestro organismo no es capaz de digerir, pero para evitar que produzcan gas en el intestino se deben hervir durante cinco minutos, una vez que se han mantenido en agua. Posteriormente se dejan enfriar, el agua se tira y se dejan en remojo durante cuatro o seis horas, con lo cual los azúcares se disuelven en el agua, que luego se desechará.

Probablemente, aún permanecen en nuestra memoria colectiva creencias erróneas en relación con estos alimentos tan saludables, que se impusieron entre la gente en tiempos remotos. Baste recordar que en Egipto las habas estaban muy mal consideradas, pues se pensaba que eran el lugar de la transmigración de las almas; pero mucho más chocante es la actitud de un sabio como el matemático Pitágoras, quien, tras ser perseguido por sus enemigos, se dejó apresar por no haberse atrevido a atravesar un campo de habas, ante el temor de aplastar las almas de los difuntos que podrían haberse refugiado en ellas. Tal vez esta conducta de los pitagóricos se debía, en opinión del afamado gastrónomo y humanista Néstor Luján, al miedo a poder desarrollar al comer habas una grave enfermedad llamada *favismo*, consistente en la aparición de una importante anemia debido a la destrucción masiva de los glóbulos rojos, pues algunos pacientes, que afortunadamente son muy escasos, se muestran incapaces de metabolizar las habas por carecer de las enzimas necesarias. Para aquellos que erróneamente piensan que en España no hay tradición investigadora, hemos de decirles que un colega alergólogo ya desaparecido, al que el autor tuvo el honor de conocer en persona en su Barcelona natal, el doctor Ramón Surinyach, cuando realizaba su tesis doctoral allá por la década de 1950, la había dedicado al estudio detallado de unos pequeños núcleos de población afectados por *favismo* en Cataluña, Menorca y Málaga.

Pero dejando atrás la historia y volviendo a la ciencia, que ahora es lo nuestro, hemos de decir que las leguminosas son unas plantas que se caracterizan porque su fruto se encuentra encerrado en vainas, y su cultivo está muy extendido en países del entorno mediterráneo como el nuestro.

Pero tanto la ingestión como la inhalación o el contacto con legumbres de las que habitualmente forman parte de la dieta (garbanzo, lenteja, judía...) pueden provocar reacciones alérgicas. Los vapores de cocción o la mera manipulación de algunas legumbres, como la judía verde, pueden causar episodios de estornudos, destilación acuosa y congestión nasal, asma bronquial, etcétera; por tanto, las personas encargadas de preparar los alimentos son las que en mayor medida se hallan más expuestas.

En España sabemos que las legumbres causan más reacciones alérgicas en niños que en adultos, pero, además, es posible que un sujeto dado se sensibilice a una legumbre determinada, como puede ser la lenteja o el garbanzo, que son las de consumo más extendido y por ello las más frecuentemente implicadas en la aparición de alergias, y sin embargo tolere otros tipos. Cuando este tipo de alergia alimentaria ocurre en menores de 3 años, es más probable que en el futuro, cuando el niño se haga mayor, el problema desaparezca. Una vez superada esa edad, las probabilidades de que la sensibilización persista de por vida son mucho más altas.

A nivel industrial se han producido algunos casos curiosos de reacciones alérgicas tras la exposición a gomas vegetales utilizadas en fábricas de alimentos (goma arábiga y goma *guar*, tragacanto, garrofín), de productos farmacéuticos, textiles, etcétera. No menos llamativa es la posibilidad de que se desarrolle rinitis o asma en trabajadores que se dedican a la colocación de tarimas y parqués, ya que utilizan harina de almorta para rellenar las junturas que quedan entre las distintas piezas, los cuales pueden sensibilizarse tras inhalar dicha leguminosa, pero paradójicamente suelen tolerar su ingestión, por ejemplo en forma de un plato tan típico de la gastronomía manchega en nuestro país como son las gachas. Se trata de una comida elaborada al cocer la harina de almortas con agua y sal, aderezándola con diversos aliños. Su origen se remonta a una época en que nuestro país tuvo escasez de cereales y la harina de esa legumbre, destinada generalmente a la alimentación animal, se aplicó al consumo humano. Surgieron entonces casos de una rara y grave enfermedad llamada **latirismo**, debido a que se ingería dicho alimento con una frecuencia excesiva, consistente en la aparición de parálisis en los miembros inferiores de carácter irreversible porque en las semillas de la almorta hay sustancias que pueden resultar muy tóxicas para el sistema nervioso.

Otra leguminosa de interés creciente en nuestro país, que aporta una proteína de origen vegetal de gran calidad, es la soja, cuyas semillas son conocidas popularmente como la *carne del campo;* no en vano puede sustituir en una dieta equilibrada a la carne, ya que aporta todos los aminoácidos necesarios que precisa el ser humano. Puede ser ingerida como semilla entera, en forma de harina o de aceite, yogur y *tofu* (cuajada de leche de soja enriquecida). Otras denominaciones del *tofu* son *miso*, *temphe*, *natto* y *sufu.* Téngase en cuenta que dicha leguminosa es la de mayor importancia a escala mundial, por su consumo tan elevado. De hecho, la soja no es un alimento principal en nuestra dieta por motivos históricos, ya que comenzó a ser cultivada en la China milenaria, de donde es originaria, y se extendió luego por Extremo Oriente, pero no llegó a penetrar en Europa hasta el siglo XVII. Sin embargo, al margen de que los españoles sentimos cada vez más curiosidad por degustar platos típicos de la gastronomía asiática, su presencia como *alérgeno oculto* en muchos productos manufacturados hace difícil su evitación al cien por cien en los individuos alérgicos. Sin ir más lejos, se emplea en forma de harina en pastelería. Pero, además, el contenido de soja puede venir reflejado en la etiqueta de productos elaborados industrialmente con muchos nombres distintos: proteína, proteína vegetal hidrolizada, goma arábiga, goma *guar*, goma vegetal, emulsificante, lecitina, glutamato monosódico, almidón, almidón vegetal, estabilizador, espesante, algarroba, caldo vegetal... Asimismo, son muy variados los alimentos que pueden contener derivados de soja: pan (especialmente el que es rico en proteínas), productos de panadería en general como pasteles y galletas, golosinas, helados, cereales de desayuno, sucedáneos de la mantequilla, dulces, sopas enlatadas o de sobre, sopas en cubos, atún enlatado, comida china, postres, empanadas, hamburguesas, perritos calientes, proteína vegetal hidrolizada, fórmulas lácteas para bebés, margarinas, salchichas, salsas para ensaladas, púdines, carne o pescado en salsa, *muesli*, sal para sazonar, estofado comercial, compotas, embutido (chorizo, salami, mortadela, jamón cocido).

Afortunadamente, la mayoría de los alérgicos a la soja pueden comer con seguridad aceite de soja y también lecitina de soja. Esta última no sólo puede entrar a formar parte de algunos alimentos procesados a nivel industrial, como por ejemplo el chocolate, sino que, además, algunas personas la incorporan a su dieta habitual para controlar los niveles de colesterol en la sangre.

Existen otras fuentes inaparentes de contacto con soja como son la comida para perros, y también otras sustancias que no son alimentos, como adhesivos, productos blanqueadores, cremas y lociones corporales, pinturas y esmaltes, telas, fertilizantes, materiales de solado, lubricantes, nitroglicerina, papel, tinta de imprenta, jabones. En la década de 1980 ocurrieron epidemias de asma en nuestro país, en concreto en Barcelona y Cartagena, por inhalación de polvo de soja al descargar unos barcos que transportaban dicho alimento. Las condiciones meteorológicas favorables permitieron que el referido polvo se expandiese de forma amplia por esos núcleos de población, con lo que los servicios de urgencias de ambas ciudades llegaron a colapsarse por episodios de dificultad respiratoria.

En el Reino Unido y en Estados Unidos el cacahuete, que también pertenece a la familia de las legumbres, aunque nuestro lector pueda pensar que es un fruto seco, es el alimento responsable del mayor número de reacciones alérgicas graves que causan los alimentos. En concreto, en Norteamérica es un ingrediente tan popular en la dieta, que se estima en cinco kilos el consumo medio por persona y año. Además, se da la circunstancia de que el contacto con aquél puede ser precoz en forma de mantequilla, dulces, comida asiática, etcétera. Como los cacahuetes son una fuente barata de proteínas, continuamente se desarrollan nuevos usos en productos de alimentación. A diferencia de otras leguminosas, no sólo representa un importante aporte de proteínas en la dieta, sino sobre todo de grasas vegetales.

Es un alimento originario de Suramérica, en concreto de una zona situada entre los ríos Paraná y Paraguay, y se tienen noticias de que ya era consumido por los habitantes de algunas zonas de la América precolombina, como fue el caso de la cultura valdiviana en Chile entre 3500 y 1900 a.C. Además, no sólo eran ingeridas las semillas crudas o tostadas, sino que también molidas se añadían a guisos y condimentos. Posteriormente el cacahuete fue transportado a África en el siglo XVI, y pasó a cultivarse una centuria después en la India, China y Virginia (Estados Unidos). En este último país se consume mucho en forma de mantequilla, obtenida al mezclar las semillas con harina de soja, miel, malta y queso. Actualmente, se producen en todo el mundo millones de toneladas de este alimento al año, ante la gran demanda que genera. El aceite de cacahuete, que está desprovisto de proteínas, suele tolerarse bien por este motivo en los pacientes sensibilizados a dicha legumbre; sin embargo, en algunas personas muy sensibles, la exposición al mismo en determinados fármacos (preparados vitamínicos, pomadas...) que lo contienen como vehículo puede hacer que se conviertan en alérgicos.

En cualquier caso, sabemos los especialistas en alergología que el cacahuete es uno de los alérgenos alimentarios más potentes que se conocen, pues bastan tan sólo unos miligramos para originar una reacción alérgica en individuos muy susceptibles. Por desgracia para los que padecen este tipo de alergia, que habitualmente se inicia en la infancia, suele persistir a lo largo de la vida del individuo afectado. Muchas compañías aéreas han tenido conocimiento de las graves reacciones alérgicas que pueden sufrir las personas sensibilizadas a los cacahuetes, por lo que han prohibido su distribución en vuelo a los pasajeros. Lógicamente, tienen una influencia decisiva la predisposición genética y otros condicionantes, pues en el África subecuatorial este tipo de alergia es prácticamente inexistente, ya que en países subdesarrollados donde predominan las infecciones por parásitos intestinales, el sistema inmunológico está lo suficientemente ocupado para defender al organismo de aquéllas como para no poder dedicarse a generar otro tipo de enfermedades propias de sociedades más industrializadas como la nuestra. Una vez más, comprobamos que la sabia madre naturaleza pone en marcha sus estrategias para preservar la salud de los habitantes de un determinado entorno geográfico. Algo parecido sucede en Corea, donde a los niños, desde que tiene lugar el destete, se les introducen en la dieta cacahuetes aplastados, pero en aquellas latitudes los procesos alérgicos son una rareza por sus condiciones de vida mucho más precarias que las occidentales.

Además, hay que tener en mente que los cacahuetes son agregados a una larga variedad de alimentos procesados industrialmente, entre los que destacan alimentos rebozados, alimentos horneados, galletas, cereales de desayuno, caramelos, dulces, productos basados en cereales, chili, comida china, pasteles, bizcochos, helados, margarina, mazapán, fórmulas lácteas, pastas, mantequilla, salsas, sopas de sobre, aceites vegetales, grasas vegetales, batidos.

Es sabido que el calor modifica la estructura de las proteínas de muchos alimentos vegetales, lo cual contribuye a reducir su capacidad para originar reacciones alérgicas. Sin embargo, en el caso de las legumbres, la resistencia es tal en este sentido, que las elevadas temperaturas que surgen durante el proceso de cocción son capaces incluso de favorecer que este tipo de alimentos incrementen su capacidad potencial para producir reacciones alérgicas. Se ha demostrado que las altas temperaturas que se alcanzan durante el tostado seco de los cacahuetes (hasta 180 ºC) y el posterior proceso de maduración y curado aumentan la capacidad de las proteínas del cacahuete para causar reacciones alérgicas. Al hilo de esta evidencia, aunque el consumo per cápita de cacahuetes en China y Estados Unidos es similar, en el primer país al que hacemos referencia apenas existen casos de alergia a dicho alimento, mientras que en Norteamérica cada vez se registran más. Hay que tener en cuenta que los chinos comen los cacahuetes generalmente fritos o hervidos, mientras que los norteamericanos los toman habitualmente tostados.

Por otra parte, cabe la posibilidad de llegar a exponerse a las legumbres de forma insospechada, que es lo que se conoce como *alérgeno alimentario oculto*, ya que las proteínas que contienen se emplean a nivel industrial para que sirvan de espesantes, emulgentes o estabilizantes; en este sentido destacan la soja y las gomas vegetales. Esta eventualidad puede tener relación con el entorno geográfico en que nos movamos y las costumbres de un determinado hábitat, que es lo que sucede, por ejemplo, en la India, donde la harina de garbanzo se añade a una gran variedad de alimentos incluida la leche, para enriquecer su contenido proteico. En los últimos años, la harina de altramuz se está empleando mucho para enriquecer la pasta, y se mezcla con harina de trigo para la elaboración de pan o bollería. Algunos investigadores han demostrado que, por su similitud, los individuos alérgicos al cacahuete pueden tener riesgo de presentar una reacción alérgica al consumir harina de altramuz. De algunas leguminosas se extraen gomas naturales, como la goma arábiga, la goma *guar*, el tragacanto, etcétera, que se usan como estabilizantes y espesantes en diferentes tipos de alimentos y medicamentos. Es el caso de ciertas harinas de panificación y bollería; de hecho, se han observado algunos casos de asma y otros procesos alérgicos desarrollados por los operarios de las fábricas correspondientes, debido a la inhalación continuada de las referidas gomas durante su trabajo.

Lo normal en el caso de una alergia a legumbres que se inicia en la infancia es llegar a tolerar el alimento a medida que el niño se hace mayorcito, después de un periodo más o menos prolongado de exclusión de este tipo de nutrientes de la dieta habitual. En el caso de los pequeños alérgicos a la soja o al cacahuete es muy importante que los padres lean detenidamente el etiquetado de los alimentos manufacturados, para evitar riesgos innecesarios derivados de una nueva ingesta accidental.

No deja de ser curioso el hecho de que en Estados Unidos y otros países anglosajones, donde raramente se consumen otras legumbres diferentes al cacahuete y a la soja, es raro que las personas alérgicas al cacahuete lo sean también a otras legumbres. Por el contrario, en países asiáticos y mediterráneos, como es el caso del nuestro, en los que el consumo de más variedades de legumbres es la norma, los alérgicos a dichos alimentos suelen serlo a más de una de ellas. Se cumple, de nuevo, una afirmación clásica en medicina, según la cual «cada geografía tiene su propia patología».

CEREALES

Se consideran un alimento básico para los seres humanos dèsde hace miles de años a escala mundial. No hay que olvidar que en su etimología esa palabra hace referencia a Ceres, diosa romana de la agricultura y más concretamente de las fiestas de la cosecha.

Se trata de plantas similares a las gramíneas salvajes, que son aquellas desprovistas de flores cuyo polen causa estornudos, congestión nasal, picor de ojos y nariz, enrojecimiento ocular, etcétera., a los alérgicos en los meses de primavera. En el caso de los cereales, se trata de gramíneas cultivadas de las cuales la más universal es el trigo, que probablemente es oriundo de Mesopotamia, pues se han hallado granos de este cereal en tumbas egipcias procedentes del sexto y quinto milenios antes de Cristo, respectivamente. El trigo es, de todos los cereales, el que tiene mayor capacidad para originar reacciones alérgicas en alimentación, pero, además, se trata de un alimento difícil de evitar para el alérgico, puesto que las proteínas que contiene pueden usarse en alimentos elaborados industrialmente con el propósito de dar sabor o aroma (por ejemplo, sazonador para carne).

Asimismo, el trigo puede aparecer bajo distintos nombres en las listas de ingredientes: cualquier tipo de harina, desde normal hasta enriquecida, gluten, proteína vegetal hidrolizada, almidón, almidón vegetal, almidón modificado, almidón gelatinizado, almidón de maíz, proteína, sémola, semolina, salvado, cuscús, germen de cereal, goma vegetal, fariña, fibra vegetal, glutamato monosódico...

Además, puede encontrarse trigo en muchos productos manufacturados, que deberían ser evitados por los pacientes alérgicos al referido alimento: leches malteadas, helados, perritos calientes, macarrones, espaguetis y otros tipos de pastas, batidos de leche, galletas, sopa en cubos, sopas de sobre, salchichas, cereales de desayuno, cuscús, algunas bebidas alcohólicas hechas a base de alcohol de grano como el whisky, el *bourbon*, la cerveza, cualquier tipo de pan, bizcochos, pasteles, salsa de soja, otras salsas, pimienta, carne enlatada...

Los productos manufacturados hechos con avena, centeno, arroz, cebada, maíz o, sobre todo, alimentos elaborados para individuos sensibles al gluten, generalmente pueden ser consumidos por pacientes alérgicos al trigo, pero en cualquier caso debe ser el alergólogo el encargado de precisar qué alimentos deben o no deben ingerirse una vez que se ha demostrado que el paciente es alérgico a un determinado cereal.

Hay que hacer la salvedad de que el llamado trigo sarraceno o alforfón, a pesar de su nombre no es una gramínea como el resto de los cereales, pero también se han descrito algunas reacciones alérgicas a este alimento.

Se conoce como **asma de los panaderos** a un conjunto de síntomas que aparecen en personas que trabajan en la elaboración de pan y productos de pastelería y bollería, que sufren episodios de dificultad respiratoria, tos y pitos en el pecho durante su actividad laboral por la inhalación de harina de cereales a los que llegan a sensibilizarse con la exposición repetida. Generalmente se asocian también síntomas alérgicos de las vías respiratorias altas como estornudos, destilación acuosa por la nariz, picor en las fosas nasales, etcétera; la severidad de los episodios de asma puede obligar al trabajador a tener que cesar en su actividad laboral de forma permanente, aunque antes de tomar una decisión tan drástica los alergólogos podemos proceder a la administración de una vacuna de harina de trigo u otros cereales, que en un gran número de casos, junto con el tratamiento antiasmático correspondiente, puede hacer que el individuo afectado pueda seguir trabajando sin manifestar apenas síntomas. Ya en la antigua Roma los esclavos que trabajaban en la molienda del trigo y en las tahonas se protegían con máscaras adecuadas.

También pueden desarrollar cuadros de asma bronquial las personas encargadas de alimentar con cereales a los animales de granja. Estos individuos que se han hecho alérgicos al trigo o a otros cereales al inhalarlos paradójicamente suelen tolerar su ingestión. Sirva además como curiosidad el hecho de que algunas personas que desarrollan alergia a los cereales tras la inhalación repetida durante su trabajo pueden haberse sensibilizado en realidad a los llamados *ácaros de almacenamiento* o *depósito*, que son unas arañas microscópicas presentes en silos y graneros.

La mano del hombre tampoco es ajena para crear nuevas alergias; así, actualmente se añaden a las harinas de los cereales unas enzimas producidas por determinados hongos que sirven para acortar el tiempo de cocción del pan y para mejorar la calidad de aquél, pero que no están exentas de poder acarrear reacciones alérgicas en personas susceptibles tras su inhalación y mucho más raramente después de comer el alimento.

Como sucede con otros alimentos, el trigo puede entrar a formar parte de la composición de diversos preparados alimenticios, pero aparentemente no se llega a identificar al hallarse enmascarado por denominaciones tan dispares como gluten, proteína vegetal hidrolizada, almidón, sémola, salvado, germen de cereal, fariña, etcétera.

La cebada no suele ser causante de reacciones alérgicas, pero las más frecuentes en este sentido son las que se producen tras ingerir malta, que es el grano de la cebada una vez germinado y tostado. Es lo que sucede en los raros casos de alergia a la cerveza, que también puede contener arroz y otros cereales, además de lúpulo y levadura.

La alergia al centeno es rara, pero además ha disminuido su consumo en forma de pan en relación a otros cereales, en parte debido a una enfermedad, el **ergotismo**, que debe su nombre a un hongo **—el *cornezuelo de centeno*— que puede parasitar su grano.** Los primeros casos se detectaron durante el siglo XI, y se caracterizaban por la aparición de gangrena en las extremidades de las personas afectadas. Era tal el dolor que experimentaban quienes lo padecían, descrito por un monje benedictino del monasterio de Cluny como «un fuego oculto que atacaba a los miembros y los separaba del tronco después de haberlos consumido», que se llamó al mal el *fuego de san Antonio*. El nombre tiene su origen en Antonio, un ermitaño egipcio del siglo IV a.C., al que se le atribuyeron poderes en la protección contra el fuego y ciertas enfermedades.

En los países occidentales la frecuencia de reacciones alérgicas al arroz es baja, en contraste con lo que sucede en los asiáticos, pues lógicamente constituye la base de su alimentación.

Algo similar sucede con el maíz, el principal alimento de las civilizaciones inca, maya y azteca, cuyo consumo en Suramérica continúa siendo muy elevado. Hasta que los europeos no adoptaron la costumbre americana de comer cereales en el desayuno, el maíz fue tan impopular que, incluso en el año 1847, cuando los irlandeses hubieron de soportar una gran hambruna, se negaron a comerlo.

Frutos secos

Se trata de semillas de plantas muy diferentes entre las cuales figuran la almendra, la nuez, la avellana, la castaña, el piñón, las pipas de girasol, el pistacho y el anacardo. En el apartado dedicado a las legumbres hemos repasado las peculiaridades del cacahuete, ya que como antes apuntábamos, no se trata de un fruto seco, sino de una leguminosa.

Hay que hacer la salvedad de que cuando nos referimos a la nuez hay que diferenciar a su vez tres clases, que son muy distintas entre sí: la de nogal, la de macadamia y la de Brasil. Esta última se llama también coquito o castaña del Brasil, y es el fruto de un árbol de gran envergadura que puede alcanzar los cincuenta metros de altura y que se llama castaño de Para.

Mientras que en Estados Unidos es el cacahuete el que se lleva la palma como productor de reacciones alérgicas, en el norte de Europa es la avellana y, en concreto en España, la almendra. A la castaña nos referiremos en el siguiente apartado, cuando hablemos de la alergia al látex. En cuanto al pistacho, cabe hacer la salvedad de que

es de la misma familia botánica del mango y del anacardo o marañón, cuyo consumo en nuestro país ha ido en aumento.

El problema que plantean los frutos secos, cuyas reacciones pueden ir desde la aparición de picor en la boca cuando los come una persona alérgica, hasta la presencia de estornudos, dificultad respiratoria, trastornos digestivos, etcétera., es la posibilidad de que pasen inadvertidos al consumirse enmascarados en otro tipo de alimentos, como sucede con salsas, bebidas, chocolate, pasteles, cereales. Afortunadamente, cada vez son más los fabricantes que advierten en su etiquetado que un determinado alimento puede contener trazas de frutos secos, pues mínimas cantidades pueden originar síntomas alérgicos en individuos susceptibles. En este sentido, es digna de elogio la presión ejercida sobre la industria de la nutrición y sobre las autoridades sanitarias por diversas asociaciones de pacientes alérgicos a alimentos.

FRUTAS Y HORTALIZAS. EL SÍNDROME LÁTEX-FRUTAS

En España las frutas son la causa más común de alergia a los alimentos en niños mayores y en adultos. La alergia a las verduras es muy rara, y en nuestro medio son el tomate y la lechuga los principales responsables. Cabe también la posibilidad de que en personas sensibilizadas, y que manipulan alimentos, la mera inhalación o el contacto cutá-

neo con una determinada hortaliza sean los mecanismos por los que se produce la reacción alérgica. Se ha descrito la llamada **asma del ama de casa** en personas que pelan patatas y otro tipo de vegetales, que llegan a manifestar episodios de picor en las manos con algún tipo de erupción, estornudos, congestión nasal e incluso dificultad respiratoria.

Por otra parte, en el entorno mediterráneo en que habitamos es el melocotón la fruta que más frecuentemente es responsable de reacciones alérgicas a este tipo de alimentos, seguida del melón.

La gran mayoría de sustancias que causan las reacciones alérgicas en el caso de los vegetales (alérgenos) son proteínas que les sirven a aquéllos para defenderse de condiciones hostiles presentes en el medio ambiente (plagas de insectos, infecciones, aplicación de pesticidas o fertilizantes...). Lógicamente, cuanto más resistentes sean las especies vegetales a las condiciones externas, más probabilidad van a tener de causar reacciones alérgicas en personas susceptibles, debido a que la producción de *proteínas de defensa* deberá ser mayor.

La aparición de picor en la boca o en la garganta de forma inmediata cuando se ingiere una fruta a la que un determinado individuo es alérgico es la manifestación más frecuente, y entre los alergólogos se conoce como **síndrome de alergia oral**. Puede acompañarse de enrojecimiento de los labios o del área de la piel que circunda la boca y de hinchazón de los labios. También es posible que aparezcan manifestaciones de diversa índole: digestivas, cutáneas (erupción de ronchas), etcétera.

Muchos de estos pacientes tienen tendencia a lo que los especialistas conocemos como *polisensibilización*, es decir, que cada vez se van haciendo alérgicos a un mayor número de frutas, y son pocas las que son capaces de tolerar.

El melocotón es una de las frutas que más alergias causa en nuestro país, pero una cosa es estar sensibilizado a la pulpa y otra muy distinta manifestar erupción o picor en la piel al contacto con su pelusilla; esto último sucede normalmente en los alérgicos al polen, pero suelen tolerar el melocotón pelado. Diremos como curiosidad que es un alimento originario de China, introducido en Europa a través de Persia y que forma parte de una familia vegetal que se denomina Rosáceas, entre las cuales se incluyen el albaricoque, la cereza, la ciruela, la fresa, la manzana, la nectarina y la pera.

En los últimos años han variado nuestros hábitos alimenticios y se ha incrementado el consumo de frutas, por sus efectos beneficiosos para la salud. Pero también ha crecido la demanda de frutas tropicales, y en este sentido quiero llamar la atención sobre el caso de la papaya, que por su origen caribeño apenas llegaba a nuestro país en tiempos pasados. Es muy rica en vitamina C, por lo que puede ser muy recomendable para que forme parte de nuestra dieta. Pero sucede que contiene una sustancia llamada papaína que a su vez posee unos usos muy diversos como ablandador de carnes, aclarador de cerveza, puede incorporarse a algunos medicamentos para favorecer la digestión, e incluso puede hallarse en determinados cosméticos y líquidos que sirven para efectuar la limpieza de las lentes de contacto. Un alérgico a la papaya evidentemente debe evitar también el contacto con la papaína, siempre y cuando pueda conocer las fuentes de exposición. Hace algunos años se puso de moda disolver las hernias de disco con papaína, pero al haber surgido algunas reacciones alérgicas graves durante ese tipo de intervenciones quirúrgicas se ha desechado este procedimiento, pues además han surgido técnicas nuevas mucho más precisas.

También hay que considerar que la mayor parte de los alérgenos que intervienen en este tipo de reacciones son muy sensibles a las condiciones del medio ambiente, como la temperatura, por lo que las pruebas cutáneas deben efectuarse de forma preferente en la consulta de alergia con el alimento tal cual y no con extractos preparados por laboratorios especializados, ya que siempre será mayor la probabilidad de obtener resultados positivos cuando manejamos hortalizas y frutas frescas. Por ello, es una práctica común que los alergólogos solicitemos la colaboración de los pacientes alérgicos a vegetales en este sentido, para que acudan a nuestras consultas con los alimentos supuestamente responsables de sus reacciones alérgicas; entonces, procedemos a la colocación de una pequeña porción de los mismos sobre la piel y con ayuda de una lanceta con una punta de escaso calibre introducimos auténticos microgramos de la hortaliza o fruta en cuestión, que son más que suficientes para provocar picor, enrojecimiento y un pequeño habón cuando la persona está sensibilizada.

Actualmente, la única medida eficaz para evitar nuevos episodios alérgicos en estos pacientes es la dieta de exclusión, pero habida cuenta de que no siempre que aparece una prueba cutánea positiva a una verdura o a una fruta el paciente es alérgico a ella, cuando existan dudas habrá que comprobar la tolerancia a la misma mediante una prueba de provocación, que consiste en darle a comer el alimento en el hospital, para ver qué sucede; en caso de que apareciese una reacción alérgica, podrá recibir el individuo afectado la atención urgente precisa. En nuestros días, la ingeniería genética trata de obtener variedades no alergénicas o hipoalergénicas de vegetales para el consumo humano, que pueden ser prometedoras para los individuos alérgicos a este tipo de alimentos.

Fue en el año 1994 cuando los expertos comenzaron a hablar de una nueva entidad en el campo de la Alergología: el llamado **síndrome látex-frutas.** Se trataba de llamar la atención sobre la elevada frecuencia de reacciones alérgicas a frutas que aparecían en personas que además estaban sensibilizadas al látex. Hay que tener en cuenta que a raíz de la aparición del sida a finales de la década de los ochenta, se ha hecho muy común el uso de guantes de goma por parte del personal sanitario y de preservativos por la población general, para protegerse frente a una infección potencialmente grave. Hasta entonces la alergia al látex era prácticamente desconocida. Pero, a su vez, muchos de estos pacientes sensibilizados al látex acaban manifestando con el paso del tiempo episodios alérgicos tras la ingestión de determinados alimentos de origen vegetal como el plátano, el kiwi, el aguacate, la papaya y la castaña. Menos frecuente, aunque entra dentro de lo posible, es que los alérgicos al látex también reaccionen al ingerir fruta de la pasión (maracuyá), mango, higo, piña o tomate. Tan curioso fenómeno obedece a que el látex, que se obtiene de la savia del árbol del caucho *(Hevea brasiliensis)*, posee proteínas idénticas a las existentes en determinados integrantes del reino vegetal, a los que previamente hemos hecho alusión. Ello explica que el sistema inmunológico de las personas sensibilizadas al látex sea capaz de reconocer además aquéllas en las frutas, y así se originen reacciones alérgicas más o menos severas tras su ingestión. En este caso nos encontramos ante lo que los alergólogos llamamos una **alergia cruzada**.

Los síntomas son muy diversos, y van desde cuadros de asma, hasta molestias de ojos y nariz, que son las típicas de otros muchos procesos alérgicos, siempre con el característico picor e incluso la posibilidad de que en personas muy sensibilizadas pueda haber cuadros graves (*shock* anafiláctico, con sensación de mareo, descenso de las cifras de presión arterial y desvanecimiento).

Este tipo de alergias van en aumento, en muchas ocasiones por ciertas estrategias de mercado ajenas a los intereses del ciudadano de a pie. Sirva como ejemplo que el kiwi, aunque es originario de China, se cultiva poco hoy día en aquellas latitudes. Sin embargo, fue Nueva Zelanda la encargada de introducirlo en Europa, tras un cultivo masivo efectuado en aquel país. Otra curiosidad es que en el caso del aguacate, un fruto que al llegar a México los conquistadores españoles observaron que era muy apreciado por los aztecas y lo llamaban *ahuacatl*, que significa «testículo» —lógicamente, debido a su forma, pues además lo consideraban afrodisíaco—, la alergia al mismo como un hecho aislado es sumamente rara. Sin embargo, resulta más común en personas que además se han hecho alérgicas al látex.

También es posible que un sujeto alérgico al látex pueda tener, además, pruebas cutáneas positivas a diversos elementos vegetales como los ya mencionados, y sin embargo come esos alimentos sin manifestar reacción adversa alguna. Cuando eso sucede, aunque lógicamente habrá que analizar cada caso en particular, la mayoría de los alergólogos le permitimos que los siga consumiendo en su dieta habitual, pero advirtiéndole de cara al futuro de que siempre existe el riesgo de que en un momento dado su organismo comience a rechazarlos. Se trata de un problema de salud de cierta importancia, habida cuenta de que si bien la alergia al látex incide como mucho en el 1 por ciento de la población general, cuando se trata del personal sanitario se pueden ver afectados hasta un 17 por ciento de los trabajadores y más del 50 por ciento de los pacientes que han tenido un contacto repetido con el látex en etapas precoces de su vida. Un ejemplo de estos últimos lo tenemos en los individuos con una rara malformación congénita que afecta a la vejiga de la orina que se llama espina bífida, pues precisan sondajes repetidos desde la niñez.

A continuación relatamos una historia clínica basada en hechos reales, para que el lector pueda hacerse una pequeña idea de cómo un alérgico al látex puede experimentar un cambio de 360 grados en su vida cotidiana, de la noche a la mañana. Es el caso de Pilar, una enfermera y amiga del autor a la que conoció hace ya algunos años como paciente en el hospital donde trabaja. Tenía 42 años, y hacía tiempo que acudía a la consulta por padecer repetidos síntomas de ojos y nariz sin un claro desencadenante. Poco a poco, las crisis esporádicas de asma que sufría se habían hecho mucho más frecuentes, y se presentaban en cualquier momento, sobre todo durante el trabajo. En más de una ocasión precisó tratamiento con algún inyectable de cortisona en el centro de salud donde trabajaba, debido a la aparición de episodios repentinos de ahogo, pitos y tos. Estamos hablando de una mujer muy observadora, que pronto sospechó que en su medio laboral debía de haber alguna sustancia que en gran parte era responsable de sus problemas. Aunque en nuestro Servicio de Alergología no teníamos experiencia de casos de alergia al látex en personal sanitario, sí habíamos leído publicaciones al respecto, y se nos ocurrió pedir que le efectuaran una prueba cutánea con dicha sustancia. Para sorpresa de todos, resultó ser positiva, y a partir de ahí comenzó un auténtico calvario para Pilar. Sus compañeros del trabajo no daban crédito a que una alergia de ese tipo fuese motivo de bajas laborales más o menos frecuentes, ni tampoco entendían que no bastaba con que ella emplease en su actividad como enfermera guantes de vinilo o neopreno, pues el mero hecho de que otras personas de su entorno continuasen usando guantes de látex era una forma de perpetuar la situación, ya que sabemos que el látex se dispersa en finas partículas respirables en las salas de curas, consultorios, etcétera. Asimismo cabe destacar que los responsables no sustituyeron otras fuentes potenciales de látex, además de los guantes, como vendas elásticas, sondas vesicales, apósitos, etcétera.

Pero la cosa fue empeorando, y Pilar decidió no darse por vencida en su reivindicación para disfrutar de una buena salud y de una buena calidad de vida, por lo que nos pidió que le hiciésemos un informe y un certificado médico para comunicar a sus superiores y a las autoridades sanitarias de su área el problema que se le estaba planteando. Pero los gestores, que habitualmente sólo entienden de costos, se lo pusieron duro. Los responsables médicos de su área de trabajo estando ella de baja llegaban a llamarla a su domicilio para explicarle —con amenazas veladas en cuanto a una jubilación anticipada en condiciones precarias— que su situación era insostenible y poco menos que en muchos aspectos se estaba aprovechando de la coyuntura.

Así las cosas, Pilar decidió solucionar al menos el problema de las tardes. Ella está casada con otro enfermero que ejerce en su clínica privada la podología y que había habilitado un despacho contiguo en el mismo local para que ejerciese a la vez un dentista. A este profesional el matrimonio le manifestó el problema y en 24 horas la clínica quedó totalmente exenta de látex, tanto en lo relativo al material de podología como de odontología. Téngase en cuenta que el látex que se esparcía por el consultorio le provocaba a Pilar molestias nasales y sobre todo cuadros de dificultad respiratoria. Por otra parte, los trámites legales siguieron adelante, y por fin llegó el momento de pasar por un tribunal médico, que una vez estudiado su caso optó por concederle la incapacidad permanente total para la profesión habitual.

Pero el problema sólo se había resuelto en parte, pues es inevitable que ocurran cosas como las que vinieron después, en este tipo de pacientes. Un día el padre de Pilar ingresó en estado grave en el hospital y ella tuvo que cuidarlo, pero cómo no, el dichoso látex que circulaba en el ambiente le creó cuadros de asfixia, conjuntivitis y rinitis. En otra ocasión, disfrutaba del fin de semana en compañía de su esposo en la Sierra y después de comer se tomó de postre un helado. Pues, ¡para qué queremos más! En unos minutos le empezó a picar el paladar, se le enrojecieron los ojos y comenzó a estornudar muy seguido, pero lo que más la alarmó fue que su garganta empezaba a notar un obstáculo que impedía poco a poco el paso del aire. Por suerte, su marido tenía a mano un preparado inyectable de cortisona y salvó la situación en un breve lapso de tiempo. La funda del helado contenía un adhesivo de caucho natural.

La tenacidad de Pilar ha podido más que su enfermedad, y actualmente preside un colectivo de personas que, como ella, están afectadas por el látex, algunas de las cuales también se han visto obligadas a abandonar la profesión de enfermería. Afortunadamente, esta iniciativa ha contribuido de manera muy notable a que se extienda el conocimiento del problema. No sólo tienen página web y editan una revista de forma periódica, sino que sus miembros participan en reuniones y mesas redondas para transmitir sus inquietudes, y también disponen de un asesor jurídico para casos como el de Pilar, donde la cerrazón burocrática puede minusvalorar la situación de cualquiera de los asociados en un momento dado.

La lucha continúa, y las limitaciones están ahí. Por fortuna, cada vez son más los hospitales que disponen de áreas libres de látex para prestar asistencia a este tipo de pacientes, aunque otras barreras parecen insalvables. Pensemos, por ejemplo, en lo que puede sucederle a un alérgico al látex cuando tiene que comer fuera de casa. ¿Usted, querido lector, había caído en que son muchos los restaurantes de comida rápida que manipulan los alimentos con guantes de látex, por cuestión de higiene? Pues, de hecho, ya se ha descrito algún caso en revistas de alergología de pacientes sensibilizados a la goma natural que han sufrido reacciones alérgicas al comerse algo aparentemente inocente, como puede ser un sándwich, fuera de su casa.

Pero en otros ámbitos sí se ha comprendido la trascendencia del problema y, por poner un ejemplo, los servicios de emergencia de la Comunidad de Madrid disponen ya de UVI móviles totalmente exentas de látex, tanto en su carrocería y revestimientos interiores como en el material que albergan, que no sólo sirven para prestar una asistencia adecuada a los afectados por esta curiosa alergia sino que, además, permiten reubicar laboralmente al personal médico, de enfermería y sanitario que presta sus servicios en dichas unidades pero que a su vez está sensibilizado al ubicuo látex.

Como hemos podido ver es tan difícil mantenerse alejado del látex como del polen, con la diferencia de que este último sólo está presente en el aire en una época determinada del año, mientras que la goma natural es un alérgeno perenne.

ESPECIAS

Son plantas o partes de plantas, frescas o desecadas, enteras o molidas que, por tener sabores u olores característicos, se destinan a la condimentación de alimentos o bebidas. Pueden recibir distintos nombres: adobo, aderezos, condimentos, sazones. Para darnos una idea de la importancia de las especias en la historia de la humanidad, sirva el dato de que durante siglos el negocio más pujante de Venecia era el comercio de las mismas, pues durante toda la Edad Media y el Renacimiento, como afirma Néstor Luján en su documentada *Historia de la gastronomía:* «Europa no concibe un plato de calidad sin el concurso de la pimienta, del clavo, de la nuez moscada, de la canela, de las mostazas, del azafrán o del jengibre...».

Pero las especias pueden ser alérgenos alimentarios muy peligrosos, porque su presencia en un alimento o bebida es fácil que pase desapercibida para una persona alérgica y, además, cantidades muy pequeñas de este tipo de sustancias pueden causar reacciones potencialmente graves. Las especias más frecuentemente relacionadas con dicha eventualidad son alcaravea, cilantro, paprika, cayena y mostaza.

Hay que tener especial cuidado al consumir salsas, cuando se es alérgico a las especias, ya que representan una fuente riquísima de aquéllas. La presencia de especias es de esperar en ciertas salsas, como por ejemplo la mostaza de Dijon, pero algunas no sólo contienen la especia que citan en su etiquetado, sino que pueden llevar en su composición otras diferentes, como ocurre en el caso de la llamada salsa de pimienta verde. Otras salsas elaboradas industrialmente que pueden contar en su composición con las especias, y que, por tanto, deberían ser evitadas por los pacientes alérgicos a las mismas, son las siguientes: salsa brava, salsa de ajo, salsa agridulce, salsa mediterránea, salsa alioli, salsa romesco, mil islas, salsa picante, salsa vinagreta, salsa bearnesa, mojo picón, salsa tártara, salsa barbacoa, salsa cóctel, salsa boloñesa, salsa siciliana, salsa napolitana, salsa de soja, Worcestershire (salsa Perrins), salsa carbonara, *ketchup*.

Un producto como el *curry*, que constituye la base de la cocina hindú, es una mezcla compleja de condimentos tan diferentes como comino, cilantro, cúrcuma, guindilla, hinojo, mostaza, pimienta, sago, tamarindo y cebolla, por lo que en caso de que una persona desarrolle una reacción alérgica al comerlo puede ser difícil llegar a saber cuál es el agente responsable.

La labor detectivesca del alergólogo se pone a prueba cuando una persona acude a nuestra consulta y refiere que ha presentado una reacción alérgica después de comer en una hamburguesería. Además de la carne, como posible alimento responsable de su alergia pensaríamos, de entrada, en la mostaza y el *ketchup*, pero quizás no repararíamos en un alimento tan común como el pan. ¿Pero seguro que no hay nada en este último que nos pueda hacer sospechar del *alérgeno escondido?* Pues ahí puede estar el quid de la cuestión, habida cuenta de la tendencia a que ese tipo de panes contengan sésamo. En efecto, las semillas de esta planta originaria de las orillas del océano Índico, también pueden causar reacciones alérgicas. No olvidemos que en España el sésamo se conoce además como ajonjolí, fundamentalmente en la zona sur, y se añade a colines, tortas de aceite, etcétera. Incluso se ha publicado un caso de alergia después de haber comido una hamburguesa de falafel, que es una especialidad culinaria oriental que se sirve acompañada de una salsa blanca, la cual, a su vez, contiene una pasta de semillas de sésamo llamada *tajine*. Ahora que tan de moda está en nuestro país acudir a restaurantes un tanto exóticos, conviene que tengamos un cierto conocimiento de este particular.

BEBIDAS

En el vino existen numerosas sustancias, entre ellas la histamina y los sulfitos, responsables de intolerancia y asma por vino, además del propio alcohol etílico o etanol, aunque este último raramente es el causante. La histamina, una sustancia de las de mayor relevancia en la aparición de reacciones alérgicas, está presente, a su vez, en diversos alimentos, y sabemos que los vinos tintos son, de todas las bebidas alcohólicas, los que presentan un mayor contenido. Para su elaboración el vino tinto es sometido a dos tipos de fermentación: una alcohólica, mediante la cual los azúcares contenidos en el mosto se transforman en alcohol; otra es la llamada fermentación maloláctica, que proporciona al vino su finura y suavidad, debido a la transformación de un ácido fuerte como el málico en otro más suave que es el láctico, curiosamente el mismo que contiene la leche, y de ahí su nombre. Precisamente, la histamina se forma en el transcurso de esta segunda fermentación y, además, es un indicador del grado de higiene del vino, pues se cree que son diversas bacterias las responsables de transformar el ácido málico en ácido láctico.

Curiosamente, las mujeres tienen una menor capacidad de degradación de la histamina a nivel intestinal, por lo cual se produce una mayor captación de la sustancia y una mayor incidencia de intolerancia al vino.

Veamos a continuación lo que sucede cuando el responsable de una reacción alérgica al vino es el blanco y no el tinto, que, a su vez, es pobre en histamina pero rico en sulfitos. Estos últimos, como muchos otros aditivos, se nombran con unas siglas (en concreto, E220 a E227), y son unos conservantes que se usan para inhibir el crecimiento bacteriano y con el fin de prevenir la aparición de un aspecto amarronado de ciertos alimentos, por su acción antioxidante, como sucede con los mariscos, las frutas —especialmente las peras y las manzanas— y ciertas hortalizas como la patata, una vez peladas. También se usan sulfitos para blanquear cerezas al *marraschino* y fruta glaseada. Las apetitosas ensaladas y macedonias de frutas de algunos restaurantes se encuentran entre los alimentos con una mayor proporción de sulfitos. Pero, además, los sulfitos se producen de forma natural durante la fermentación de vinos y cervezas por la acción de levaduras, por lo que pueden formar parte de ese tipo de bebidas alcohólicas y también de la sidra, el vinagre y el mosto. Su presencia es más elevada en los vinos blancos y espumosos, como el cava y el champán, que en los tintos. Otros alimentos que pueden almacenar dichos aditivos son los zumos de frutas envasados, las patatas y otros vegetales deshidratados, las masas de pizza congelada o destinadas a la elaboración de pasteles, los escabeches, la gelatina, los embutidos y los frutos secos. Los pacientes alérgicos a los sulfitos pueden desarrollar tras su ingestión episodios de dificultad respiratoria, estornudos y destilación acuosa nasal, erupción de ronchas por la piel, hinchazón de la misma (angioedema), etcétera. Como alternativas por parte de la industria alimentaria al empleo de sulfitos están el envasado al vacío, el uso de acidulantes (ácido cítrico o acético), agentes reductores (vitamina C) y la congelación. Pero en general, se trata de un tipo de aditivos difíciles de sustituir por otros, para garantizar el estado de conservación de determinados alimentos. Por fortuna, en muchos de ellos las concentraciones son tan pequeñas que difícilmente van a poder causar reacciones alérgicas en las personas sensibilizadas a los mismos.

Algunos medicamentos pueden encerrar sulfitos en su composición, pero como sucede en la industria alimentaria, sólo los llevan en mínimas proporciones, por lo que su empleo no resulta especialmente peligroso para los alérgicos a este tipo de conservantes.

Las infusiones, que son cocimientos de determinadas partes de plantas, también pueden causar reacciones alérgicas. Se han observado casos anecdóticos de alergia a la cafeína, presente en el té y en el café. Asimismo, se han descrito casos de alergia a las infusiones de manzanilla o camomila, no sólo después de beberlas, sino también en personas que se las han aplicado en los ojos para efectuar lavados por padecer una conjuntivitis. Algunos de esos sujetos son alérgicos al polen de la artemisa, una planta de la familia de las Compuestas, como también lo es la manzanilla; además, esas personas pueden sufrir cuadros alérgicos cuando ingieren miel que contenga polen de ese grupo de vegetales o si comen pipas de girasol, pues también son Compuestas. Curiosamente, los médicos homeópatas, que manejamos principios activos de origen mineral, animal o vegetal, pero en dosis muy diluidas, empleamos con relativa frecuencia la *Chamomilla vulgaris* o manzanilla alemana por sus propiedades antiinflamatorias y antimicrobianas. De hecho, se trata de un remedio de gran eficacia para tratar los dolores de la dentición en los lactantes y otros muchos procesos dolorosos, pero puede aplicarse con seguridad en los alérgicos a esta planta, porque, como ya expuse, las dosis son muy bajas.

CAPÍTULO VI

Casos raros que pueden traernos de cabeza

EL SÍNDROME AVE-HUEVO

Como ya explicamos en el capítulo anterior, lo más frecuente en el caso del huevo de gallina es ser alérgico a la clara, que ocurre fundamentalmente en niños, mientras que la sensibilización a la yema es mucho más rara y más propia de adultos. Pero la alergología es una curiosa especialidad que almacena un gran número de casos poco comunes, los cuales la convierten, en todo momento, en una caja de sorpresas, por muchos que sean los años que uno lleve ejerciéndola. Buena prueba de esta peculiaridad son las situaciones que relataremos a continuación, que seguro van a despertar el asombro del lector.

Es conocido que los pájaros liberan regularmente partículas microscópicas que contaminan el ambiente de la casa. De hecho, las plumas especializadas de muchas aves (plumón), como los periquitos, loros, cacatúas, etcétera, están cubier-

tas con un polvo muy fino que se parece al de talco. Las referidas partículas, que poseen forma de bastón o astilla, son microscópicas, y tienen aproximadamente una micra de diámetro, por lo que pueden ser fácilmente inhaladas y depositarse en las vías respiratorias de menor calibre. Todos los pájaros domésticos y la mayoría de las aves salvajes poseen unas glándulas llamadas uropigiales que secretan una sustancia compuesta de grasas y proteínas. Los pájaros constantemente hunden el pico en esta glándula, para limpiar e impermeabilizar las plumas. El material sebáceo y la saliva seca de las plumas liberan, a su vez, un material polvoriento, que contribuye a dispersar un montón de elementos al medio ambiente, capaces de generar en personas predispuestas reacciones alérgicas. Pero, además, el crecimiento y descamación del epitelio que constituye la piel del pájaro es un factor añadido en la producción de alérgenos respirables.

Puede suceder que una persona alérgica a la yema del huevo desarrolle, además, síntomas respiratorios cuando inhala proteínas procedentes de la piel y de las plumas de los pollos en un corral de aves: se trata del llamado **síndrome huevo-ave.** A diferencia de este último, existe en los adultos el denominado **síndrome ave-huevo** o **síndrome pájaro-huevo,** que también es poco frecuente, descrito por primera vez en medicina en el año 1985. Se observa en pacientes que tienen un contacto habitual o esporádico con cualquier tipo de aves y desarrollan una sensibilización a proteínas de las mismas por inhalación, en relación con la limpieza de las jaulas. Manifiestan estornudos, destilación de agüilla por la nariz, congestión nasal, picor de ojos y de nariz, lagrimeo, episodios de dificultad respiratoria, con tos y pitidos en el pecho. Con posterioridad, a diferencia de lo que sucedía en el ya referido **síndrome huevo-ave**, se produce una sensibilización a la yema del huevo. A partir de entonces, en relación con su ingesta, aparecen síntomas alérgicos en la piel (picor, erupción de habones, hinchazón de la cara, manos, pies...) y digestivos (náuseas, vómitos, diarrea, etcétera), y esto también puede ocurrir después de comer carne de aves, fundamentalmente pollo. Se ha implicado en la aparición de este proceso a la α-livetina, una proteína de la yema del huevo que muestra gran similitud con otras proteínas características de las aves.

Los pacientes que padecen este tipo de cuadros deben evitar el contacto con todo tipo de aves, así como la ingestión no sólo del huevo, sino de todos aquellos productos relacionados con las aves.

Tampoco hay que dejar de lado la posibilidad, aunque resulta excepcional, de que una persona que cría pájaros pueda hacerse alérgica a los componentes de sus alimentos, como son las semillas de alpiste, cañamón, negrillo, linaza o nabina.

El síndrome cerdo-gato

Hasta la fecha se han descrito pocos casos de alergia a la carne de mamíferos en la literatura médica. Sin embargo, hay muchas evidencias que asocian la alergia a los epitelios de animales con las reacciones alérgicas a carnes, que es lo que se denomina, en el caso del cerdo y del gato, **síndrome cerdo-gato.** Ello se debe a que hay proteínas comunes o muy similares en la carne de esos animales y en sus pelajes, y lo más habitual es que la persona que posee un gato y tiene predisposición para ser alérgico se sensibilice a su pelo y, con posterioridad, a la carne de otro mamífero como el cerdo.

Para hacer más amena la lectura de este apartado, traigamos a colación lo que el barcelonés Carlos Fisas nos cuenta de este último animal en la segunda serie de su célebre libro *Historias de la historia* (Ed. Planeta, Barcelona, 1984): «El gato no se consideró animal doméstico en Europa hasta muy entrada la Edad Media, en la que unos mercaderes asiáticos lo introdujeron en Venecia como remedio eficaz contra la plaga de ratas que infestaba entonces la República adriática. Hasta entonces, se consideraba como animal salvaje y objeto de caza y regodeo culinario». Fisas propone una receta para comer gato asado, que rescata de un famoso libro de cocina de Ruperto de Nola, que era el cocinero renacentista del rey Fernando de Nápoles. No nos sorprende en absoluto esta noticia, pues también da cuenta Juan Eslava Galán, en su amena y documentada obra titulada *Una historia de la Guerra Civil que no va a gustar a nadie* (Ed. Planeta, Barcelona, 2005), de un hecho histórico insólito del Madrid de abril de 1937. Al parecer no quedaba ya ningún gato en los vecindarios, pues se había puesto de moda una nueva delicia gastronómica: arroz con conejo. ¡Se pueden imaginar el festín! Pero esto no es todo, pues relata también Eslava en su libro que cuando previamente, en noviembre del 36, los legionarios y los moros asaltaron el edificio en construcción del Hospital Clínico de Madrid, el hambre hacía tales estragos que se comieron unos conejos y unos gatos infectados de tifus o peste, los cuales servían para efectuar experimentos en el Instituto de Higiene de dicha institución sanitaria.

Tras esta breve digresión volvemos al asunto que nos ocupa, y hemos de decir que hoy en día la alergia al gato es la más importante en nuestro medio entre las causadas por animales de compañía y puede originar graves crisis de asma, pues además de poseer en su pelo y en las escamas de la piel proteínas capaces de producir reacciones alérgicas, a veces severas, las lleva también en la saliva. Si tenemos en cuenta que este animal se lame con frecuencia la cubierta de pelo que posee y forma así un fino aerosol de partículas que se dispersan al medio ambiente, ello explica que esas proteínas que los alergólogos llamamos alérgenos puedan resultar muy ubicuas y fácilmente respirables en el polvo y el aire de los hogares donde habitan gatos. Pero estas evidencias no resultaron tan nítidas para los médicos del pasado, como fue el caso del doctor Charles Blackley, un inglés nacido en 1820 que se interesó por el estudio de las enfermedades propias de mi especialidad, por ser él muy alérgico al polen. En 1873 decidió efectuar algunos experimentos en su propia persona: se rasgó la piel, frotó sobre la misma una gramínea humedecida y observó que aparecía un enrojecimiento de aquélla y que se formaba un habón; había descubierto las *pruebas cutáneas*, que seguimos usando cada día los alergólogos —con algunas modificaciones en la actualidad— para diagnosticar a nuestros pacientes. Estos últimos las suelen llamar, de modo genérico, *pruebas alérgicas*. Pero como muchos otros genios, Blackley también llegó a conclusiones erróneas al suponer por ejemplo que el asma que originan los animales de compañía, nuestras actuales mascotas, en pacientes alérgicos se debía a que los granos de polen se adherían a su piel. No tuvo en cuenta que otro colega inglés, el doctor Henry Salter, había publicado en 1860 un tratado sobre asma en el que hablaba de su experiencia como asmático y sostenía que el gato alberga en su saliva y en su epitelio sustancias causantes de la reacción alérgica. Sin embargo, para Blackley la clave estaba en que el gato había caminado por los campos cubriéndose de polen, que luego introducía en el interior de las viviendas. Como afirma a su vez el doctor Vaughan en su entretenido libro *Una enfermedad singular. La historia de la alergia* (Ed. Suramericana, Buenos Aires, 1942), en relación a la cerrazón de Blackley: «Cuando lo urgían con el argumento de que los gatos de la ciudad que no llegan hasta los campos producen los mismos síntomas, respondía que los ratones del campo habían estado en contacto con el polen, los gatos se los comían y, al hacerlo, su piel se llenaba de polen que introducían a la casa».

Los médicos del pasado tenían, lógicamente, unos conocimientos muy rudimentarios de las afecciones alérgicas, pero no hay que restarles mérito a sus grandes dotes de observación. Sírvale de botón de muestra al lector la descripción de un médico valenciano, el doctor Virrey, que en un libro publicado en Madrid en el año 1763, argumentaba lo siguiente: «el damnable, quanto comun resfriegue y contracción de los gatos puede dañar los pulmones por causa del asma, porque el aliento de gato se ha hallado por experiencia muy dañoso, y perjudicial a los pulmones, como lo manifiesta su hedor y continuo estertor». ¡Verdaderamente, una descripción genial para su época!

Un caso curioso publicado en 2003 en una revista médica por el grupo de trabajo de una colega de Barcelona, la doctora Cisteró-Bahíma, es el de una mujer de 39 años que comenzó con episodios de asma en relación con la exposición a un gato, pero que en su infancia tuvo picor en la boca al ingerir carne de conejo y, con posterioridad, desarrolló en la edad adulta un episodio de hinchazón de los labios tras comer carne de caballo. Un año antes de manifestarse este último síntoma, la paciente había introducido un hámster en su vivienda, y cuando fue estudiada se comprobó que las pruebas cutáneas fueron positivas al epitelio de dicho roedor, así como al de la cobaya, el perro, el gato y también a la carne de ternera, de cerdo, de conejo y de caballo. La explicación reside en que tanto las carnes de esos animales como los epitelios poseen una proteína común, que se llama albúmina. Pero la denominación de *síndrome cerdo-gato* ya se queda corta, habida cuenta de que también se ha observado un caso en nuestro país de alergia a carne de cordero, con pruebas cutáneas positivas al epitelio del gato.

Aunque estos pacientes de que hemos dado cuenta son muy poco comunes, demuestran que la alergología en España está actualmente a la altura de países con más tradición investigadora, como puede ser Norteamérica, e incluso que va por delante en muchos aspectos.

El síndrome apio-artemisa-zanahoria-especias

Se ha descrito la asociación entre alergia a ciertos vegetales y pólenes de la familia de las Compuestas, como la artemisa, porque en su composición comparten determinadas proteínas; esto explica por qué un sujeto alérgico al polen de dicha maleza —que, por ser de polinización más tardía que las gramíneas o el olivo, provoca molestias de ojos y nariz durante los meses de agosto y septiembre— puede sufrir una reacción alérgica en cualquier época del año al comer apio, zanahoria o ciertas especias. Inicialmente, se constató una sensibilización concomitante al apio y al polen de la artemisa en este tipo de individuos, pero con posterioridad se ha visto que muchos de esos pacientes también reaccionaban a la zanahoria y a diversas especias. De aquí el nombre de **síndrome apio-artemisa-zanahoria-especias.**

Una vez más, surgen las curiosidades de la alergología, y mientras que en España este tipo de afección es rara, en el norte de Europa la alergia al apio y a la zanahoria no resulta tan infrecuente, pero se trata de pacientes que en lugar de estar sensibilizados al polen de artemisa son alérgicos al del abedul, por ser el árbol que allí predomina.

También hay que tener en cuenta que tanto el apio como la zanahoria pertenecen botánicamente a la familia de las Umbelíferas, y no a la de las Compuestas como la ya referida artemisa. De aquélla también forman parte el perejil, el eneldo, el hinojo y el anís, por lo que podrían aparecer síntomas de alergia en estos pacientes al ingerir dichos alimentos, por mera similitud en su estructura.

Capítulo VII

Algunas controversias actuales

Alimentos transgénicos

Imaginemos por un momento que nos encontramos en 1822 y nos situamos en un pueblecito de la que entonces era Silesia austriaca, llamado Heinzendorf, que hoy día forma parte de la República Checa bajo la denominación de Hyncice. Allí vivía un matrimonio formado por Anton Mendel, que había combatido como soldado en las guerras napoleónicas, y su esposa, que descendía de una familia de jardineros al servicio de un señor feudal. De cinco hijos que había tenido la pareja, los dos primeros eran niñas, y fallecieron a temprana edad, pero Johann, que es del que ahora vamos a ocuparnos, era el cuarto, y había llegado al mundo el 22 de julio de aquel año.

A medida que fue creciendo ayudaba a su padre a injertar árboles en su modesta propiedad, y, además, en la escuela parroquial le enseñaron a cultivar hortalizas y frutales. Fue en 1843, por recomendación de sus profesores, cuando ingresó en el monasterio de santo Tomás, que pertenecía a la orden de los agustinos, con el nombre de Gregor. En el jardín de aquél, situado en Brno, una ciudad de la región alemana de Moravia, el abad había conseguido que se continuase la tradición de experimentar con plantas.

A partir de 1856, tras haber pasado varios años en Viena como estudiante, Gregor Johann Mendel —ésta era su nueva identidad— se dedicó a combinar diversas variedades de guisantes, unos de granos lisos, otros rugosos, unos con flores blancas, otros con flores amarillas, etcétera, y obtuvo una nueva generación de híbridos en la que dominaba un sólo carácter cruzado, pues era dominante y no recesivo. Sentó así los rudimentos de una ciencia que iba a revolucionar totalmente con el paso del tiempo la medicina, la alimentación y otros muchos campos de la investigación; había nacido la genética. Sirva como curiosidad de la precariedad de los conocimientos sanitarios de la época lo que le sucedió a Mendel en su trato con los médicos, pues siempre había tenido una precaria salud, aunque no se ha llegado a saber a ciencia cierta de qué males padecía. A partir de la edad adulta comenzó a ganar peso, y a los galenos a los que consultó no se les ocurrió otra cosa mejor que decirle que se iniciara en el hábito del tabaco. En efecto, se hizo adicto a la nicotina y hasta su muerte fumó unos veinte cigarrillos diarios.

Aunque la obtención de organismos modificados genéticamente ha sido una práctica generalizada por parte del ser humano durante muchos

siglos, al seleccionar y cruzar plantas de cultivo con especies silvestres para mejorar aquéllas, la aparición de la llamada ingeniería genética ha permitido mejorar la eficacia y rapidez del procedimiento. Hoy en día ya se habla de *organismo modificado genéticamente* (OMG) para referirse a aquellos cuyo material genético —es decir, sus cromosomas— ha sido alterado de tal modo por la mano del hombre que ya no aparece en las estirpes silvestres de modo natural.

Según la directiva 90/220/CEE, el término OMG implica «un organismo cuyo material genético ha sido modificado de una manera que no acaece en el apareamiento o recombinación naturales». En lo que respecta a España, los alimentos transgénicos vienen regulados por la Ley 9/2003, que establece el régimen jurídico sobre el que se regirán los OMG. Esta ley se basa en los principios de prevención y cautela, que implican adoptar las medidas adecuadas para evitar los potenciales efectos adversos para la salud humana y el medio ambiente.

En efecto, los alimentos transgénicos no sólo pueden ver modificado su aspecto, su olor y sabor, sino que, además, son capaces de tolerar mejor que los naturales la acción de los herbicidas y las condiciones climáticas y del suelo que pudieran resultarles adversas. Y ya han llegado más allá las empresas dedicadas a la biotecnología, que son capaces de incluir en los vegetales genes que favorecen su contenido en vitaminas y otros nutrientes.

Pero no todo son beneficios en este campo tan aparentemente innovador, pues surgen riesgos añadidos como sucede en muchas otras actividades donde la mano del hombre no siempre ejerce los efectos más deseables. Pensemos, por ejemplo, en lo que puede ocurrir cuando en los vegetales se insertan genes de resistencia a los antibióticos, lo que lógicamente puede contribuir a que cuando ese tipo de medicamentos se emplean en el ser humano para combatir las infecciones su eficacia se vea mermada.

Los desafíos de la biotecnología son enormes, y los métodos que emplean actualmente las empresas dedicadas a esta parcela de la investigación, de lo más sofisticado. Sirva como ejemplo el caso del *Agrobacterium tumefaciens*, una bacteria capaz de producir tumores en los vegetales y que se inocula a través de una pequeña erosión que se efectúa, como si de una herida se tratase, en la planta en cuestión. Una vez que crece el tumor, algunos genes de la bacteria son transferidos a las células sanas de la planta, que según las experiencias de Mendel se van a transmitir, a su vez, a la descendencia. Y lo mismo se puede conseguir con otras bacterias que transfieren genes al maíz y al arroz para que no puedan ser objetivos del apetito voraz de los pirales, un tipo de insectos que devastan esa clase de cultivos.

En el caso de la alergología, nos interesa conocer el hecho de que algunos genes que se introducen en los alimentos transgénicos intentan que las plantas puedan defenderse mejor contra los parásitos y las plagas, pero precisamente esas moléculas de proteínas que son los genes, los cuales se almacenan en los cromosomas de las células, aumentan notablemente su presencia en los vegetales. Dichas estrategias poseen el consiguiente riesgo para el ser humano de desencadenar en su organismo reacciones alérgicas. Es lo que sucedió con un tipo de soja transgénica que en la década de 1990 se produjo para destinarla a la alimentación animal, puesto que contenía determinadas proteínas de la nuez del Brasil, ricas en aminoácidos azufrados, pero que no llegó a comercializarse por el peligro de que los alérgicos a este fruto seco pudieran sufrir reacciones adversas cuando su organismo entrase en contacto con la soja. Por ello, existen agencias reguladoras gubernamentales para establecer el posible riesgo de aparición de reacciones alérgicas por parte de los OMG. Pero las investigaciones nunca cesan, y hoy día se puede conseguir que un determinado vegetal exprese una proteína que no poseía de manera natural mediante *plásmidos*, que son pequeños fragmentos de ácido desoxirribonucleico, el famoso ADN, cuya presencia es frecuente en las bacterias y que logran su función al ser portadores de genes.

Hasta el momento, no hay pruebas fehacientes de que los alimentos genéticamente modificados puedan causar más reacciones alérgicas que los alimentos tradicionales. De hecho, la utilización de plantas transgénicas en programas de mejora se va incrementando de día en día. Algunos expertos han llegado incluso a predecir que hacia el año 2025, el 25 por ciento de la producción agrícola en Europa lo será a base de plantas transgénicas.

ALIMENTOS HIPOALERGÉNICOS

Como no todo tiene por qué ser malo, sabemos hoy en día que las técnicas de ingeniería genética también pueden servir para disminuir o eliminar la presencia en los alimentos de ciertas proteínas que sabemos que por sus características son capaces de desencadenar reacciones alérgicas en personas sensibilizadas a las mismas, y que, por ello, se denominan *alérgenos*.

Surgirían así los llamados *alimentos hipoalergénicos*, de los que ya existen algunos ejemplos en distintos puntos del planeta Tierra. Así, en el año 1996 un equipo de investigadores japoneses logró, mediante la manipulación de los ácidos nucleicos del arroz, que disminuyese la expresión de un determinado alérgeno.

Pensemos, por ejemplo, en la importancia de este tipo de experimentos para una población como la norteamericana, que consume cacahuetes en cantidades muy elevadas, ya que en el seno de la misma podría haber actualmente hasta un 10 por ciento de alérgicos a esa legumbre, algunos de los cuales pueden sufrir reacciones graves y potencialmente mortales. Téngase en cuenta que muchas de las personas que han fallecido en Estados Unidos a consecuencia de un *shock* anafiláctico por cacahuete lo habían ingerido de manera inadvertida en algún restaurante. En individuos muy sensibilizados, ese tipo de reacción potencialmente grave, además de originar aparición de ronchas en la piel o hinchazón de la misma, trastornos digestivos y malestar general, se manifiesta con dificultad respiratoria y descenso de las cifras de presión arterial, que puede ser motivo de que la persona afectada entre en un estado de inconsciencia en cuestión de pocos minutos.

Es cierto que cuando un individuo sabe que es alérgico a un determinado alimento suele preguntar en los locales donde sirven comidas al personal de servicio por los ingredientes de un plato concreto, pero siempre cabe la posibilidad de que, bien por desconocimiento o por motivos diversos, se ofrezca una información errónea. Por ello, las autoridades sanitarias de Norteamérica hacen esfuerzos en educar al personal de ambulancias y al de urgencias para que utilicen la adrenalina como tratamiento de elección en el *shock* anafiláctico. Pero a pesar de este tipo de planes, la realidad es otra muy distinta, pues los estudios de que disponemos hasta la fecha nos informan de que allá, en Estados Unidos, la mayoría de los pacientes con alergia alimentaria que han sido tratados en los servicios de urgencia no han recibido adrenalina, y tampoco se los ha instado para que consulten lo antes posible con un alergólogo. En este sentido, se han llevado a cabo experimentos con plantas transgénicas a fin de obtener cacahuetes con un contenido bajo o nulo del alérgeno principal de dicho alimento. Asimismo, en el caso del cacahuete conocemos que un 20 por ciento de los niños pequeños que sufren alergia a este alimento van a tolerarlo en el futuro, aunque es difícil que suceda lo mismo cuando la reacción alérgica ha ocurrido después de los 5 años.

Pero además de las técnicas de ingeniería genética, pueden fabricarse alimentos hipoalergénicos por otros métodos físico-químicos. Es el caso de los *hidrolizados de proteínas de leche de vaca*, a los que nos hemos referido con anterioridad cuando hablamos de la alergia a dicho alimento. Al someter a la leche a la acción de enzimas que fragmentan las proteínas o las desnaturalizan, se pueden conseguir *hidrolizados de caseína*, que toleran la mayoría de los lactantes alérgicos a la leche entera.

Probióticos y prebióticos

Es innegable que, de un tiempo a esta parte, se están poniendo de moda los llamados *alimentos funcionales*, que, al ser enriquecidos con determinadas sustancias, supuestamente no sólo aportan a quien los ingiere beneficios meramente nutricionales, sino también otros que le permiten mejorar su salud. Pues bien, tal es el caso de los probióticos y prebióticos, que colonizan el intestino, modifican positivamente la flora intestinal y mejoran el funcionamiento del sistema inmune y del resto del organismo.

Los probióticos han sido definidos de diferentes maneras sobre la base de sus aplicaciones iniciales como alimentos de animales. Haciendo referencia concreta a su aplicación a la nutrición humana, el Grupo de Trabajo Europeo sobre la Ciencia de la Alimentación Funcional, coordinado por el Instituto Internacional de Ciencias de la Vida, define un probiótico como: «un ingrediente alimenticio microbiológico vivo que implica un beneficio para la salud».

Los criterios que debe cumplir un probiótico incluyen:

- Que sea de origen humano.
- Que sea seguro para su empleo en nuestro organismo.

- Que sea estable en un medio ácido como el del estómago.
- Que tampoco se destruya en presencia de sales biliares, las cuales están presentes de forma habitual en el intestino.

Estos criterios los cumplen fundamentalmente los lactobacilos y las bifidobacterias, puesto que son un tipo de bacterias que tienen la capacidad de poder adherirse al revestimiento interior de la mucosa intestinal, es decir, al epitelio o capa más superficial de la misma; posteriormente, lograrán entrar en contacto con el llamado *tejido linfático asociado al intestino*, que son unas formaciones integradas por diversos tipos de leucocitos o glóbulos blancos, necesarios para defender al organismo de agresiones externas.

Actualmente, la importancia alcanzada por este tipo de seres microscópicos es tal que la Unión Europea ha invertido unos quince millones de euros en la creación de una red en la que participan investigadores de 16 países, para que estudien los beneficios y los mecanismos básicos de acción de estos probióticos. Se trata no sólo de entender cómo estas bacterias actúan en el aparato digestivo, sino también de conocer en qué modo se relacionan con la flora intestinal. Se calcula que el intestino humano contiene alrededor de 1,2 kilos de bacterias, pero que pertenecen a tan sólo unas cien especies, y que, además, son diferentes de persona a persona. Los componentes de los referidos probióticos deben ser capaces de colonizar el intestino y formar una barrera protectora contra otras bacterias y gérmenes que por su carácter nocivo pueden crear enfermedades, además de ayudar a metabolizar los hidratos de carbono y a absorber las vitaminas. Más allá de los efectos meramente nutritivos, el probiótico ha de inducir en definitiva a acciones beneficiosas para la salud.

Según diversos expertos en la materia, los probióticos pueden ser importantes para el control de las alergias a los alimentos, dada su habilidad para mejorar la digestión al ayudar al intestino a controlar la absorción de los alérgenos (proteínas presentes en los alimentos que pueden causar reacciones alérgicas) o al poder cambiar las respuestas del sistema inmunológico frente a los alimentos.

Una de las explicaciones más atractivas para explicar el gran auge que han sufrido las enfermedades alérgicas en los países occidentales en los últimos años, es la llamada *hipótesis de la higiene*. Desde que en la década de 1970 se observó que la menor presencia de procesos alérgicos en indios nativos canadienses estaba en relación con una mayor incidencia de infecciones en aquéllos que en la población blanca, se han desarrollado otros estudios que demuestran cómo en distintas poblaciones hay una relación inversa entre la aparición de alergias y la exposición a infecciones. De hecho, diversas investigaciones han mostrado que los niños de familias numerosas padecen con menor frecuencia enfermedades alérgicas. Cuantos más niños hay en una familia, más infecciones sufren, y más protegidos van a estar los individuos de ese clan frente a las alergias. Esto ha llevado a la suposición de que un mayor número de infecciones en la infancia puede ayudar a prevenir las afecciones alérgicas en el futuro. Además, hemos de tener en cuenta que la pérdida repentina de la carga microbiana que en otros tiempos asediaba al ser humano, debido a las vacunaciones, a los antibióticos y a la mejoría de las condiciones higiénicas, altera el sistema inmune; al estar menos ocupado en hacer frente a la invasión de los gérmenes, se dedica a que nuestro organismo ponga en marcha reacciones frente a sustancias muy diversas, desde los pólenes hasta los alimentos. Hay que tener en cuenta, a su vez, que antiguamente los recién nacidos, al pasar por el canal del parto, eran colonizados por bacterias del organismo materno presentes de forma natural en el área genital o procedentes de su intestino, mientras que ahora esto ha cambiado de forma drástica. Cuando a la mujer que va a dar a luz le practican una cesárea, un tipo de intervención que cada vez se lleva a cabo con mayor asiduidad en las maternidades, el feto no va a tener ocasión de contactar con las referidas bacterias. Además, en dichas instituciones hay una serie de medidas de aislamiento eficaces que evitan el contagio de enfermedades infecciosas que en otra época podían poner en riesgo la vida del bebé y también de la madre, como sucedía con la temible fiebre puerperal. Hasta hace pocos años en España, en concreto en la comarca malagueña de la Axarquía, existía la costumbre de guardar el llamado *pan de preñada* para dárselo a comer a las parturientas a fin de prevenir dicha enfermedad. Este alimento no era ni más ni menos que pan enmohecido, guardado en un lugar oscuro y húmedo, que al recubrirse de una capa verdosa era rico en *Penicillium*, el hongo productor de la penicilina, que tantas vidas ha salvado desde que el escocés Alexander Fleming la descubriera en la década de 1920.

En definitiva, los niños actuales, desde que llegan a este mundo están sometidos a unas condiciones más asépticas que en otros tiempos. La ya mencionada *hipótesis de la higiene* propone, en este sentido, que el rápido aumento en las alergias se relaciona en gran parte con la reducida exposición a infecciones en el inicio de la vida, que es la etapa durante la cual el sistema inmune se tiene que educar. En esta misma línea, los expertos han destacado el posible papel de las llamadas *endotoxinas bacterianas*, que son una familia de moléculas que forman parte de la membrana que recubre el organismo de ciertas bacterias y que están presentes en algunos animales de granja. Esto explicaría por qué los hijos de granjeros, que desde muy pequeños tienen contacto con el ganado, son menos proclives a padecer enfermedades alérgicas que los niños que viven en otros entornos aparentemente más saludables. Lógicamente, también van a influir otro tipo de factores no menos importantes, como la predisposición genética.

Son varios los estudios que se han efectuado en niños alérgicos y han demostrado la eficacia de ciertos probióticos, como las bacterias denominadas *Bifidobacterium lactis* y *Lactobacillus rhamnosus*, en la prevención y en el tratamiento del eccema. De algún modo, los probióticos contribuirían a reforzar la función de barrera protectora de la pared intestinal, que está alterada en las personas que padecen una forma peculiar de eccema que se llama dermatitis atópica, y a restaurar el equilibrio ecológico de la flora bacteriana. Si un ecosistema puede ser definido como un entorno geográfico en el que coexisten los seres vivos con elementos inertes, el tubo digestivo responde perfectamente a este concepto. De hecho, sabemos que el número de microorganismos presentes en el intestino del ser humano es aproximadamente de 10^{11} bacterias por gramo de contenido. Estos microbios que por billones colonizan el intestino lo hacen desde los primeros días de vida del niño y son un potente estímulo para el sistema inmunológico. Es curioso que los niños alimentados con leche de mujer poseen un alto porcentaje de bacterias intestinales beneficiosas llamadas *bifidobacterias* o *lactobacilos*, que muchos lectores asimilarán al contenido de las mismas en diversos alimentos cuyos fabricantes las promocionan como *bífidus activo*. Sin embargo, los bebés que desde los primeros meses de vida ingieren leche en polvo albergan en su intestino un tipo de flora bacteriana mucho más nociva. En cualquier caso, a medida que transcurren los años y varía el tipo de alimentación, el número de esta clase de gérmenes comienza a disminuir.

Gracias a las bifidobacterias, tiene lugar en el intestino la fermentación de los hidratos de carbono provenientes de la alimentación, con lo que se generan ácido láctico (así llamado por estar presente en la leche) y una serie de ácidos grasos que crean un medio hostil para que bacterias potencialmente peligrosas para nuestro organismo no sean capaces de crecer y desarrollarse. Ya que junto con los alimentos ingerimos un elevado número de bacterias que en su mayoría mueren por la acción del ácido clorhídrico presente en nuestro estómago, el interés de la investigación en el campo que ahora nos ocupa se centra en seleccionar, para su incorporación al intestino, aquellas bacterias que son capaces de sobrevivir en el mismo, y que por tanto han logrado burlar la barrera gástrica. Así, la flora intestinal podría ser un territorio aún bastante inexplorado para la prevención de las enfermedades alérgicas.

En este sentido no conviene olvidar que, al margen del interés que pueden suponer los probióticos para mejorar nuestras condiciones de vida, el consumo de una dieta con menor contenido de proteína animal y mayor de proteína vegetal, no sólo aporta más fibra y evita el estreñimiento y las complicaciones que de él pueden derivarse, sino que, además, promueve el crecimiento en la luz intestinal de los lactobacilos. Estos últimos son empleados por los pediatras para prevenir y tratar diversas diarreas causadas por virus que sufren los niños. Pero, además, se ha demostrado que en las poblaciones con mayor tendencia a padecer enfermedades alérgicas, son deficitarios, por lo que su aporte en forma de suplementos puede resultar beneficioso. Al fin y a la postre, el intestino es el órgano que debe soportar diariamente un mayor desafío inmunológico, ya que una cantidad ingente de sustancias extrañas acceden diariamente al mismo, y éste debe ser capaz de discriminar en todo momento entre lo que es bueno y lo que puede resultar nocivo. Por ello, la evolución lo ha dotado del 50 por ciento de todos los linfocitos T que existen en nuestro organismo, que son un grupo de glóbulos blancos especializado en garantizar la tolerancia frente a los alimentos y demás agentes ajenos al organismo humano.

Los prebióticos, a diferencia de los probióticos, son sustancias que no pueden ser digeridas por el organismo, sino que sirven de alimento para grupos específicos de bacterias que están en el intestino. Con su empleo podemos conseguir que las bacterias que nos interesan aumenten su crecimiento, mientras disminuye el de las que no son tan beneficiosas para el ser humano.

La raíz de la achicoria es una de las principales fuentes de inulina y oligofructosa, destacados prebióticos, aunque también pueden encontrarse en otras frutas y verduras, como la cebolla, el plátano, el ajo o los espárragos. Una vez extraídas estas sustancias, pueden añadirse a la dieta incorporándola a cualquier comida o bebida, con fines preventivos para mantener una salud óptima.

En teoría sus beneficios no se limitan a la salud gastrointestinal, pues diversos estudios han demostrado que también facilitan la absorción del calcio y otros minerales, como el magnesio y el hierro, a nivel del intestino, por lo que podrían contribuir a mejorar la densidad de los huesos y a prevenir la osteoporosis, aparte de favorecer la metabolización de grasas nocivas en el hígado, como los triglicéridos y el colesterol.

Capítulo VIII

A la búsqueda de soluciones

Cómo podemos actuar cuando ocurre una reacción alérgica a un alimento. Manejo de la adrenalina autoinyectable

En España se consumen cada día unos 50 millones de kilos de alimentos, y a lo largo de toda la vida se estima que pasan por el tubo digestivo de un individuo unas 100 toneladas de comida. Así no es difícil entender que todos esos productos extraños al organismo acaben creando, tarde o temprano, algún síntoma desagradable. Algunos de estos pacientes pueden reaccionar con severidad frente a un determinado alimento, por lo que han de evitarlos para no arriesgar su vida y llevar siempre en el bolsillo adrenalina autoinyectable por si se desencadena el temido *shock* anafiláctico. En una situación así es de máxima importancia actuar con rapidez, ya que de ello depende, en los cuadros más graves, que el desenlace no sea fatal.

La adrenalina es una hormona secretada en ciertas situaciones de estrés por las glándulas suprarrenales, situadas encima de los riñones, que acelera el ritmo cardiaco, aumenta la presión arterial, dilata los bronquios y estimula el sistema nervioso central. Esta sustancia actúa, además, a nivel de unas células que intervienen en los procesos alérgicos llamadas mastocitos o células cebadas, cuya denominación hace alusión al hecho de que su citoplasma está repleto de gránulos que almacenan sustancias responsables de las reacciones alérgicas, como la histamina. La adrenalina se encarga de impedir que ese tipo de sustancias puedan ser descargadas al torrente circulatorio por las referidas células y frena así, de inmediato, la reacción alérgica que haya podido ponerse en marcha.

La dosis de adrenalina que se debe administrar en adultos es de 0,3 a 0,5 mililitros en una solución 1/1000, y 0,1 mililitros por cada 10 kilogramos de peso en niños. Según la evolución, se puede repetir la dosis de adrenalina cada 10-15 minutos hasta un máximo de tres dosis. La vía de administración más adecuada es la inyección intramuscular, pero también puede utilizarse la vía subcutánea, sobre todo cuando es el propio paciente el que debe administrársela si se encontrase en un área alejada de asistencia médica urgente.

La zona más indicada para la inyección es la cara anterior del muslo, donde se ha demostrado una mayor absorción en menos tiempo que en otras áreas del organismo.

Pero en el caso de una reacción alérgica de cierta importancia frente a un alimento, sobre todo si hay compromiso respiratorio, lo que interesa es la rapidez. Para evitar demoras innecesarias por tener que cargar una jeringa con la adrenalina, acoplar la aguja a aquélla, etcétera, existe en el mercado farmacéutico la adrenalina autoinyectable. Es una especie de bolígrafo provisto de un capuchón, que cuando se libera de éste y se hace contactar sobre el muslo de la persona afectada, descarga de manera automática 0,3 mililitros del medicamento. El único dispositivo comercializado en España para tal fin es el Adreject, del que

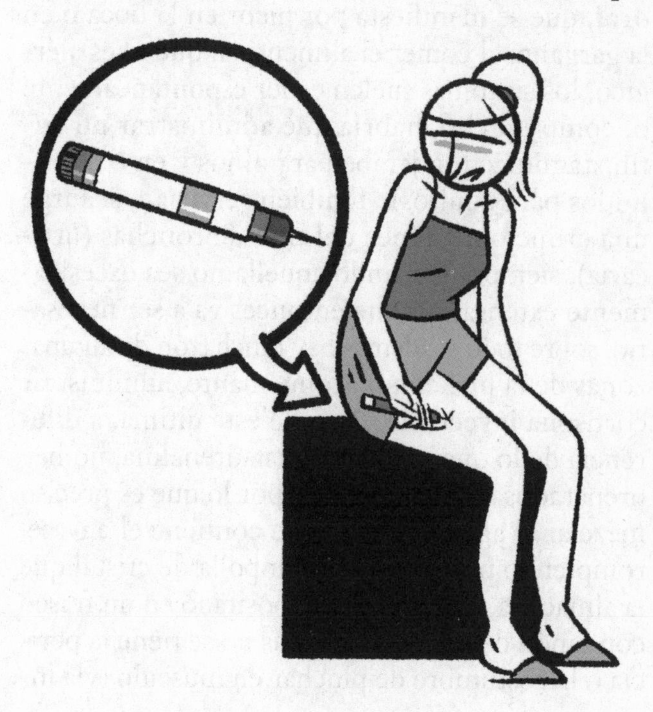

existe una versión para niños y otra para adultos (Laboratorios ALK-Abelló). En otros países están comercializados unos dispositivos similares llamados EPI PEN y ANA-KIT.

Cuando los pacientes acuden a nuestras consultas y son diagnosticados de alergia alimentaria, enseguida preguntan si les conviene llevar encima antihistamínicos o cualquier otro tipo de medicación. Ya hemos dejado claro que la adrenalina debe emplearse en situaciones graves, pero ¿qué hacer cuando la reacción alérgica no es tan importante?

En el caso del llamado **síndrome de alergia oral,** que se manifiesta por picor en la boca o en la garganta al comer el alimento al que se es alérgico, los síntomas suelen ceder espontáneamente o, como mucho, habría que administrar un antihistamínico (en jarabe para niños y en comprimidos para adultos). También servirían, si surge una erupción cutánea del tipo de ronchas (urticaria), siempre y cuando aquélla no sea excesivamente extensa, porque entonces va a ser necesario, sobre todo si además hay hinchazón de algunas zonas de la piel como acompañante, administrar cortisona inyectable. Pero de esta última, a diferencia de lo que sucede con la adrenalina, no hay preparados autoinyectables, por lo que es preciso mezclar el agua destilada que contiene el envase, rompiendo previamente la ampolla de cristal que la almacena, con el polvo depositado en un frasco con tapón de goma. Si además no se tiene la pericia o la costumbre de pinchar en músculo (vía intramuscular), la cosa se complica. Por ello, nuestro consejo es recurrir a los antihistamínicos cuando la reacción alérgica no sea de gran importancia, pero si el proceso es más severo habrá que proceder, además, al manejo de la adrenalina autoinyectable. En el caso de que el afectado sea un asmático y después de ingerir el alimento al que es alérgico comience con sensación de dificultad respiratoria, deberá aplicarse al menos una dosis del inhalador que suele emplear para tratar su enfermedad.

De cualquier manera en este asunto es mejor pasarse que no llegar, por lo que en principio cualquier reacción alérgica que se desencadena por la ingestión de un alimento debe ser atendida de urgencia por un médico, ya que sólo el facultativo está capacitado para valorar su importancia.

Y con posterioridad es obligado que el paciente acuda a una consulta de Alergología para completar el estudio. En los años que el autor lleva ejerciendo esta especialidad, ha tenido ocasión de oír el relato de personas que habían padecido algún efecto adverso de un alimento, a veces potencialmente grave, sin haber requerido la asistencia médica debida. Resulta curioso que en una gran mayoría de casos dichos sujetos habían recurrido a tomarse un vaso de leche, al pensar que ese remedio casero podía servirles como un buen antídoto. No hay un fundamento científico que sustente este tipo de prácticas, las cuales no pasan de ser un mero resquicio de la tradición popular. De hecho, la leche es un alimento muy rico en proteínas y grasas, que puede ser contraproducente en determinadas intoxicaciones, como puede suceder con las originadas por determinados productos químicos, ya que aquélla por su carácter oleoso puede favorecer la absorción del tóxico desde el tubo digestivo hasta el torrente circulatorio. En el caso de las urticarias podría suceder que el calcio contenido en la leche llegase a disminuir el calibre de los vasos sanguíneos que están excesivamente dilatados, pero no pasa de ser una mera suposición.

¿Se curan las alergias alimentarias?

La aparición de tolerancia frente a los alimentos a los que una persona puede hacerse alérgica es un proceso normal del organismo, mediante el cual el sistema inmune reconoce a una serie de elementos, como las proteínas contenidas en los mismos, como si de unas moléculas inofensivas se tratase. Dicho proceso es muy complejo, y en gran parte desconocido, pero resulta crucial, pues asegura la supervivencia del individuo, ya que también permite que seamos capaces de reconocer y rechazar organismos nocivos o toxinas.

Siempre es difícil para un alergólogo hacer previsiones sobre la evolución de una alergia alimentaria, sobre todo en los adultos. Muchos pacientes etiquetados de alergia a algún alimento o grupo de alimentos continúan acudiendo a nuestras consultas en busca de respuestas a este respecto, porque han oído que con el paso del tiempo, como sucede en muchos casos con los medicamentos, uno puede dejar de estar sensibilizado. Es cierto que en los niños la mayoría de las alergias alimentarias tienden a desaparecer en los primeros años de la vida. Pero de un problema tan complejo no podemos hacer tabla rasa, por lo que cada situación debe ser analizada de forma individual.

Determinados alimentos que producen reacciones alérgicas en sujetos de corta edad, como la leche de vaca o el huevo, se van a acabar tolerando mucho antes que otros como el pescado, las legumbres o los frutos secos, que incluso pueden dejar sensibilizado al individuo de por vida. La única forma de saber lo que va a ocurrir en el futuro es efectuar un seguimiento periódico de cada caso, y realizar las pertinentes pruebas cutáneas y analíticas; una vez que el médico ha comprobado que su paciente parece que ha dejado de reaccionar a un alimento dado, deberá dárselo a comer de manera gradual y siempre bajo su estrecha vigilancia en un hospital. Hoy por hoy este último procedimiento, que se conoce con el nombre de *prueba de provocación*, es la única técnica definitiva que nos permite aclarar si un paciente con alergia a alimentos ha dejado de padecerla. Pero los riesgos que comportan este tipo de estudios hacen que se deban adoptar las debidas precauciones. Hasta ese momento la dieta de eliminación, excluyendo el nutriente que proceda de la dieta, será la única medida efectiva.

INCONVENIENTES DE LAS DIETAS DE ELIMINACIÓN

Se ha comprobado que este tratamiento consistente en excluir de la dieta el alimento o grupo de alimentos a los que una determinada persona puede estar sensibilizada conduce, con el paso del tiempo, a la pérdida por parte del organismo de la capacidad de reaccionar ante su presencia hasta el punto de llegar a tolerarlo cuando lo come de nuevo. Pero esta reintroducción jamás debe llevarla a cabo el paciente en su domicilio, por los riesgos que comporta, sino bajo la supervisión de un alergólogo.

Cuando se instaura una dieta de eliminación no basta con evitar el contacto con el alimento en cuestión, sino que, además, hay que mantener una alimentación que, desde el punto de vista nutricional, sea también adecuada. Este último punto es crucial en el caso de los lactantes y los niños, cuando hay que retirar de su dieta alimentos básicos. Al tratarse de un organismo en etapa de crecimiento, los efectos a largo plazo pueden ser más importantes que en el caso de un adulto. Puede ser necesario, por tanto, consultar con un dietista o nutricionista para que haga un estudio de las necesidades del paciente, tanto en cuanto a calorías y proteínas como a vitaminas y minerales.

Pero, además, para que una dieta de este tipo pueda ser cumplida, es clave la educación sanitaria, no sólo del paciente sino también de su entorno (fabricantes de alimentos, comedores escolares y de personal, restaurantes, profesores...). En este sentido, es importante prestar siempre atención al etiquetado de los productos manufacturados, por parte del alérgico y de sus familiares, ya que los ingredientes de los mismos pueden variar con el paso del tiempo. Pero tampoco hay que desdeñar el papel de otras personas cercanas al alérgico que, de un modo responsable, deben tener en cuenta los posibles efectos nocivos de la exposición a humos o vapores de cocinar alimentos.

Es fundamental que el alergólogo y el médico o el pediatra sepan dar una información adecuada a la persona que es sensible a un determinado alimento o grupo de alimentos, acorde con su edad y nivel cultural, para no crear situaciones de angustia en el paciente o de sobreprotección por parte de quienes lo rodean, como puede ser el caso de los más pequeños, y evitar así distorsiones en la relación familiar y con sus compañeros. A su vez, el facultativo debe tener en cuenta la trascendencia de sus decisiones en este sentido, pues obligarán al paciente a dedicar más tiempo del habitual para adquirir y preparar los alimentos, pero, además, puede hacer que le resulte muy difícil comer con seguridad fuera de casa.

En el caso de que la persona alérgica reaccione en un momento dado al ingerir un alimento que supuestamente debería resultarle inocuo, habrá de guardar una porción del mismo, con objeto de que pueda ser analizada en un laboratorio adecuado para detectar posibles proteínas contaminantes.

¿EXISTEN VACUNAS PARA EL ALÉRGICO A LOS ALIMENTOS?

Hasta la fecha el único tratamiento efectivo para una persona alérgica a un alimento es evitar su ingestión. Pero son ya muchas las investigaciones que se han puesto en marcha para tratar de hallar una vacuna eficaz para este tipo de pacientes. Por si usted, querido lector, no lo sabe, una palabra tan popular en nuestro lenguaje cotidiano como *vacuna* deriva de *vaca*, porque fue gracias al ganado vacuno como se descubrió la primera vacuna en la historia de la medicina, para prevenir la viruela. En efecto, el primer intento científico de prevenir las infecciones vino de la mano de un médico rural británico, el doctor Edward Jenner, el cual observó que cuando los campesinos de su región sufrían una epidemia de viruela las ordeñadoras se mostraban inmunes. Aquéllas se habían contagiado previamente del llamado *cow-pox* o viruela animal, durante su trabajo.

Partiendo del principio de Jenner se llegó al desarrollo de vacunas para tratar los procesos alérgicos. En 1911 fueron dos médicos norteamericanos, los doctores Leonard Noon y John Freeman, los que al observar que los animales sensibilizados a una determinada sustancia pueden llegar a tolerar su presencia si se les administra de manera paulatina dosis elevadas de aquélla, comenzaron a probar en pacientes alérgicos un extracto de polen, y observaron una clara mejoría de los síntomas. Hoy en día la administración de vacunas antialérgicas es una realidad cotidiana, y se han demostrado sus beneficios para reducir la intensidad de los síntomas y para prevenir el asma en pacientes que sufren molestias de ojos y de nariz, no sólo por la exposición al polen durante los meses de primavera, sino también cuando la sustancia responsable es perenne, como puede ocurrir con los ácaros, los hongos o los epitelios de los animales.

Como ahora veremos, después de los hechos constatados por Noon y Freeman se llevaron a cabo nuevas experiencias por parte de otros médicos. Precisamente, son estos últimos cuando se convierten en pacientes los que más luz pueden arrojar en los terrenos más intrincados del arte de Hipócrates. Así sucedió con el doctor Herbert Rinkel (1896-1963), que cuando era un joven médico que ejercía como alergólogo en Oklahoma les dio un gran susto a sus familiares y amigos que estaban reunidos con él para celebrar su fiesta de cumpleaños. Sucedió después de comer un trozo de tarta, pues cayó desmayado súbitamente al suelo, pero afortunadamente se recuperó. Hacía muchos años que el referido galeno padecía episodios de fatiga, dolores de cabeza y una intensa rinitis, con producción de abundante moco a través de las fosas nasales. Si estas molestias le habían causado bastante incomodidad durante la práctica del *rugby*, ahora el acoso de los estornudos y el goteo por la nariz en plena consulta resultaban mucho más desastrosos. Fue entonces cuando leyó los libros y artículos del doctor Albert Rowe, un colega que ejercía en Oakcland, California, en la década de 1920, donde se dedicaba a estudiar a pacientes que sufrían reacciones adversas por la ingestión de alimentos diversos. A partir de entonces, Rinkel comenzó a sospechar que podía ser alérgico a algún alimento, ya que había iniciado sus estudios de Medicina estando ya casado y siendo padre, por lo que sus recursos eran escasos y su progenitor, que conocía su mala situación económica, para ayudarlo, le enviaba regularmente partidas de huevos desde Kansas y éstos formaban la base de su dieta. Llegado un momento, decidió excluir los huevos de su alimentación, y cuando llevaba seis días sin probarlos, tuvo lugar la celebración de su cumpleaños de la que antes hacíamos mención. La esposa del infortunado doctor no reparó en aquellos hechos, y elaboró la tarta de cumpleaños con tan preciado manjar, que nada más ser probado por Rinkel le ocasionó un grave *shock* anafiláctico.

A partir de entonces el médico comenzó a prohibir a sus pacientes ciertos alimentos para intentar conocer si eran la causa de sus dolencias, alimentos que debían tomar de nuevo en su presencia por si acaso surgía algún evento desagradable como una crisis de asma o similar.

Fue precisamente Rinkel el que acuñó el término de **alergia enmascarada** para referirse a casos como el suyo en que ocultos en un alimento aparentemente inocente como un pastel, figuraban los causantes de algunos problemas de salud de sus clientes.

Pero habría de pasar el tiempo para que el doctor Rinkel reparase en que había otra forma de tratar la alergia que padecía, además de la dieta de exclusión de huevo. Era una tarde del verano de 1960 cuando el galeno, que como se ha dicho 30 años atrás estuvo a punto de fallecer a consecuencia de una tarta, compartía mesa con un colega, el doctor Carlton Lee, también alergólogo y la esposa de éste, que había dejado de comer carne de buey porque le provocaba cuadros de asma. Rinkel se sorprendió al ver cómo la referida dama comía sin problemas la carne y le preguntó al respecto. Ella le contestó que su marido había solucionado el problema con unas inyecciones que le administraba. A partir de entonces ambos médicos unieron sus esfuerzos para efectuar nuevas investigaciones.

Como veremos en el siguiente capítulo, a veces resulta imposible excluir totalmente de la dieta una sustancia que nos causa alergia, ya que puede estar enmascarada en un determinado alimento (son los llamados *alérgenos alimentarios ocultos*, que luego abordaremos). En el caso de Norteamérica, ya hemos comentado que el consumo de cacahuetes está tan extendido que se ha estimado en un 50 por ciento la probabilidad de que un alérgico a los mismos pueda volver a tener contacto con dicha legumbre, en los siguientes cuatro años desde el momento en que se establece el diagnóstico de ese tipo de sensibilidad alimentaria.

Para este tipo de personas se debería disponer de una vacuna eficaz elaborada con las proteínas de esta clase de alimentos, de cara a prevenir males mayores. Pero el tema no es tan sencillo como en el caso de la alergia al polen, a los ácaros del polvo y a otros elementos comunes de nuestro entorno, porque los ensayos que se han llevado a cabo hasta ahora han obligado a su suspensión, ya que podían generarse graves reacciones alérgicas al inyectar las correspondientes dosis de vacuna. Por ello, actualmente están en marcha experimentos complejos pero en ellos se emplean pequeños fragmentos de los alérgenos o proteínas responsables de las alergias alimentarias, que es lo que se llaman *vacunas de péptidos*, con resultados prometedores.

Sin ir más lejos, en nuestro país un equipo de médicos de la Sección de Alergología del Hospital General de Castellón dirige actualmente un estudio con una vacuna sublingual (se administran las dosis colocándolas debajo de la lengua) contra la alergia a la avellana. La incidencia de esta patología en la población general es de 5 por cada 1.000 personas, y su principal problemática radica en que la avellana es muy utilizada en la cocina de España, e incluso se encuentra camuflada en multitud de salsas, helados y productos de repostería.

Hasta que comenzaron los ensayos con las vacunas sublinguales, sólo se pensaba en la vía oral para la administración de vacunas a personas alérgicas a determinados alimentos, con el inconveniente de que habría que introducir las sustancias empleadas en cápsulas adecuadas para evitar su destrucción por los jugos digestivos. Pero actualmente las vacunas sublinguales son una realidad que les permite a los alérgicos al polen, al polvo, a los hongos y a otras muchas sustancias tratarse en su propio domicilio depositando cada 24 horas unas gotitas del preparado debajo de la lengua, para que posteriormente sean deglutidas. A diferencia de lo que sucede con las vacunas antialérgicas inyectables, que en personas muy sensibles pueden ocasionar reacciones alérgicas potencialmente graves, con las sublinguales no se tienen noticias de este tipo de efectos adversos.

Nos hemos referido previamente al caso de personas alérgicas al látex que también se sensibilizan con el paso del tiempo a determinadas frutas. Pues bien, para ellas ya se dispone en nuestro país de una vacuna sublingual de látex, de especial interés para el personal sanitario afectado por este problema que tanto puede comprometer su vida cotidiana. Como el látex es una sustancia que puede causar graves reacciones, la administración de este tipo de vacunas se efectuará siempre en un hospital.

VACUNAS QUE PUEDEN NO RESULTAR INOFENSIVAS PARA LOS ALÉRGICOS A ALIMENTOS

Algunas vacunas de las que actualmente se utilizan en medicina para tratar determinadas patologías son incubadas en tejidos de embrión de pollo o de pato para su elaboración, y podrían contener alguna partícula de huevo. Esto puede suceder con las vacunas de la gripe, de la fiebre amarilla o de la rabia, pero además, en el caso de los niños, está la vacuna triple vírica, que protege simultáneamente contra el sarampión, la rubeola y las paperas.

Hasta el año 2004 estaba comercializada a través de las oficinas de farmacia de nuestro país una vacuna triple vírica cuyos integrantes habían sido cultivados en células humanas y no en embrión de pollo, pero la retiró del mercado el laboratorio fabricante. A partir de esta decisión, la única opción para los niños alérgicos al huevo es recibir la vacuna triple vírica convencional. Afortunadamente, la mayoría de los efectos adversos observados con motivo de la administración de esta última son debidos a su contenido en un antibiótico, la neomicina, o bien frente a la gelatina que también entra a formar parte de su composición. En cualquier caso, será siempre el alergólogo el que deba fijar la conducta que se ha de seguir en cada caso particular, que generalmente va a consistir en indicar que se lleve a cabo la inyección de la referida vacuna en un centro sanitario con una vigilancia adecuada.

En aquellos pacientes con antecedentes de reacciones alérgicas graves al huevo o sus derivados, el alergólogo deberá efectuar una prueba cutánea antes de poner la vacuna, igualmente en condiciones óptimas de seguridad. Cuando resulte positiva, que es una rara posibilidad, habrá que fraccionar la vacuna en varias dosis.

En cualquier caso, sabemos los expertos que el 98 por ciento de esos pacientes van a tolerar sin ningún problema la administración de la vacuna triple vírica. Una conducta similar habrá que adoptar con la vacuna de la fiebre amarilla, cuando tengan necesidad de administrársela personas alérgicas al huevo que desean viajar a un país donde aquella enfermedad puede tener una incidencia elevada.

Capítulo IX

Lo mejor es prevenir

Algunas personas son más susceptibles de padecer alergias alimentarias

Fue en 1923 cuando el doctor Arthur Fernández Coca, que ejercía en Nueva York y estaba dedicado a la investigación de las enfermedades alérgicas, con ayuda de su amigo el profesor de griego Edward Perry, acuñó el término *atopia*, para referirse a la tendencia de algunos sujetos a padecer determinados procesos como la rinitis alérgica, el asma bronquial o determinadas afecciones de la piel, procesos en cuya aparición intervenía, según estos médicos, un componente hereditario. La voz *átopos* tiene varias acepciones en griego, ya que significa «no en el mismo lugar, inhabitual, raro, paradójico». Hoy en día, los especialistas seguimos llamando atópicas a aquellas personas que tienen un condicionante genético para el desarrollo de una serie procesos de hipersensibilidad frente a sustancias ambientales, que puede afectarles tanto a la piel como a las diferentes mucosas y que suele asociarse a un incremento de la producción de un tipo especial de anticuerpo, la inmunoglobina E (IgE).

Cuando existe una historia familiar de procesos alérgicos, se sabe que la descendencia corre un mayor riesgo de padecerlos, que puede cifrarse de la siguiente manera:

- Entre un 50 y un 80 por ciento, si los dos progenitores padecen la misma enfermedad atópica (por ejemplo, asma o eccema).
- De un 40 a un 60 por ciento, si padre y madre son atópicos pero con distintas manifestaciones.
- Entre el 20 y el 40 por ciento, si tan sólo uno de los progenitores es atópico.
- De un 5 a un 15 por ciento, si no son atópicos ni el padre ni la madre.

Si la atopia está presente en una familia, es el momento de solicitar cuanto antes consejo al especialista —en este caso, el alergólogo— sobre las estrategias preventivas que pueden ponerse en marcha y que a continuación abordaremos, para que sus efectos se dejen sentir lo menos posible.

Pero además de los condicionantes genéticos, es preciso que exista un contacto con las sustancias capaces de desencadenar una reacción alérgica, los llamados alérgenos. Veamos un ejemplo, para que no nos queden dudas. Una determinada persona puede tener predisposición para ser alérgica al *litchi*, una fruta originaria de China pero que en España apenas se consume. Si nunca llega a probarla, evidentemente jamás se hará alérgica a la misma. Pero también puede ocurrir que un determinado alérgeno alimentario penetre en nuestro organismo en una etapa de la vida poco propicia para que podamos tolerar su presencia. En este sentido, sabemos los alergólogos que los primeros meses después de nacer constituyen el periodo de mayor riesgo para que ocurra la sensibilización inicial a los alimentos. También tenemos conocimiento de que los contactos en cantidades pequeñas pero repetidas tendrán mayor posibilidad de causar sensibilización que cuando se ingieren dosis grandes y únicas.

¿Se puede demorar la aparición de estas alergias?

Ha sido ampliamente debatido por los expertos el tema de la prevención de la alergia alimentaria en niños predispuestos. Se ha demostrado que la lactancia materna prolongada durante los primeros tres a seis meses de vida protege en gran parte a los niños de alto riesgo —que son aquellos que nacen en el seno de familias con una carga elevada de enfermedades alérgicas— de padecerlas. Sin embargo, no existe consenso sobre si la madre debe o no seguir una dieta determinada durante su embarazo o en el transcurso de la lactancia. La Academia Americana de Pediatría proponía en el año 2004 a las madres que esperasen niños de alto riesgo las siguientes recomendaciones:

- Alimentación exclusiva a base de lactancia materna.
- Evitar la ingestión de frutos secos.

- Retrasar la introducción de alimentos sólidos en la dieta hasta los seis meses de vida.
- Introducir frutos secos y mariscos en la dieta del niño después de los 3 años.

En realidad, según nuestros conocimientos actuales, sabemos que el retraso en la introducción de alimentos sólidos en el recién nacido más que prevenir lo que hace es demorar la aparición de posibles reacciones alérgicas, lo que reduce en parte la posibilidad de que surja el eccema o dermatitis atópica. Pero aún faltan más estudios que nos permitan analizar el alcance exacto de este tipo de medidas.

EL PROBLEMA DE LOS ALÉRGENOS ALIMENTARIOS OCULTOS

Se denominan alérgenos alimentarios ocultos aquellas sustancias capaces de generar una reacción alérgica y que se hallan por lo común en alimentos procesados industrialmente, pero que no están especificados en las etiquetas o que figuran con un nombre desconocido o confuso para el consumidor. Pero probablemente, la forma más común de que pacientes alérgicos ingieran alérgenos ocultos sea por contaminación de alimentos que no tienen por qué contener dichos elementos, como ocurre cuando los mismos utensilios para servir o cocinar se usan para distintas comidas. Pensemos lo que le puede ocurrir a una persona alérgica al pollo cuando come en una cafetería un sándwich vegetal que ha sido elaborado en la misma plancha donde se ha cocinado pechuga de pollo con anterioridad, para otro cliente. Las pequeñas trazas de la carne de dicha ave que hayan podido permanecer en aquélla, porque no se haya efectuado una limpieza a fondo, pueden ser suficientes para desencadenar una reacción alérgica si la persona está muy sensibilizada.

Si existe alguna duda con respecto a lo que hay en el plato, es aconsejable no comer cuando uno es alérgico, ya que es mejor estar seguro que tener que lamentarlo después.

Otra forma de contaminación tiene lugar si en las plantas de manufacturación emplean el mismo equipo para elaborar distintos productos (no se limpian adecuadamente los utensilios o se usa el mismo aceite para cocinar distintos alimentos). Muchas veces sucede que el alérgeno oculto viene incluido en el etiquetado como aditivo o parte minoritaria de otro alimento, pues quien lo produce utiliza un nombre al que no está habituado el paciente alérgico, y por tanto aquél puede ingerirlo de forma inadvertida.

Estos alérgenos ocultos son muy peligrosos, al ser capaces de desencadenar reacciones que pueden terminar siendo fatales para la persona alérgica que los introduce en su organismo. En España, actualmente el etiquetado de productos alimenticios elaborados industrialmente está regulado por el Real Decreto 1334/1999, de 31 de julio, en virtud del cual se aprueba la «Norma general de etiquetado, presentación y publicidad de los productos alimenticios», y ha sido modificado con posterioridad por el Real Decreto 238/2000, de 18 de febrero. De esta normativa legal nos interesa especialmente para el tema que nos ocupa el siguiente extracto, con fines informativos:

«*Ingrediente:* es toda sustancia, incluidos los aditivos alimentarios, utilizada en la fabricación o en la preparación de un producto alimenticio y que todavía se encuentra presente en el producto terminado o eventualmente en una forma modificada.

»No se consideran ingredientes:

»*a)* Los componentes de un ingrediente que en el curso del proceso de fabricación se hayan eliminado temporalmente para reincorporarlos después en cantidad que no sobrepase el contenido inicial.

»*b)* Los aditivos cuya presencia en un producto alimenticio se deba al hecho de que estaban contenidos en uno o varios ingredientes de dicho producto, siempre que no cumplan ya una función tecnológica en el producto acabado.

»*c)* Los coadyuvantes tecnológicos.

»*d)* Las sustancias utilizadas en las dosis estrictamente necesarias como disolventes o soportes para aditivos y aromas.

»La lista de ingredientes estará constituida por la mención de todos ellos en orden decreciente de sus pesos en el momento en que se incorporen durante el proceso de fabricación del producto. En el caso de mezclas de frutas, de hortalizas, de especias o de plantas aromáticas, en las que ninguna de ellas predomine en peso de forma significativa, podrán mencionarse en cualquier orden, siempre que la lista de dichos ingredientes vaya acompañada de una mención tal como "proporción variable". No precisarán lista de ingredientes:

»I. Los productos alimenticios constituidos por un solo ingrediente, siempre que la denominación de venta sea idéntica al nombre del ingrediente, o siempre que la denominación de venta permita determinar la naturaleza del ingrediente sin riesgo de confusión.

»II. Las frutas, las hortalizas frescas y las patatas, excepto las mondadas, cortadas o sometidas a cualquier otro tratamiento similar.

»III. Las aguas de bebida envasadas gasificadas cuya denominación señale esta característica.

»IV. Los vinagres de fermentación que procedan de un solo producto base a los que no se les haya incorporado ningún ingrediente.

»V. Los quesos, la mantequilla, la leche y la nata fermentadas, siempre que no se les hayan añadido más ingredientes que sus productos lácteos, enzimas y cultivos de microorganismos necesarios para la fabricación de los citados productos y, en el caso de los quesos distintos de los frescos o fundidos, la sal precisa para su elaboración.

»VI. Las bebidas con un grado alcohólico adquirido superior al 1,2 por ciento».

Como puede deducirse, en la actualidad la regulación del etiquetado no es lo suficientemente clara en cuanto a la obligación de declarar todos los ingredientes que intervienen en la fabricación de un determinado alimento, y es la industria la que debería esforzarse en facilitar la comprensión del mismo. Dado que los alimentos pueden causar reacciones graves e incluso fatales, los pacientes con alergia a alimentos tienen derecho a estar informados sobre la posibilidad de desarrollar una reacción alérgica severa y de las medidas que deben adoptar en caso de una ingestión accidental.

Por otra parte, los pacientes con alergia alimentaria deberían evitar en la medida de lo posible las comidas elaboradas industrialmente, así como las efectuadas fuera de casa. Cuando vayan a consumir algún alimento manufacturado, deberán leer atentamente la lista de ingredientes de dicho producto.

En el caso de los niños deberán ser los familiares, los profesores y el personal de los centros educativos quienes se informen sobre el manejo de las reacciones alérgicas. Y, a partir de cierta edad, los pacientes han de ser entrenados en el empleo de adrenalina autoinyectable, si la reacción alérgica ha sido grave.

A pesar de estas recomendaciones, muchas veces no se puede evitar el contacto con el alimento al que se es alérgico si aquél se halla enmascarado en un producto elaborado industrialmente.

También es importante que los pacientes que hayan sufrido reacciones graves con alimentos sean portadores de una identificación de los alimentos a los que son alérgicos —por ejemplo, en forma de una chapa que pueden llevar colgada, o de un brazalete—, como los individuos que están sensibilizados a un determinado fármaco o grupo de medicamentos.

En la siguiente tabla se resumen los posibles orígenes de trazas de un alimento al que un determinado paciente es alérgico.

Tabla 4. Posibles fuentes de alérgenos alimentarios ocultos

- Limpieza inadecuada del equipo que se emplea en la fabricación de alimentos manufacturados.
- Intento, por parte del sujeto alérgico o de otros, de eliminar el alimento de una mezcla de comida.
- Contacto directo o indirecto entre dos alimentos; por ejemplo, al utilizar el mismo utensilio para servirlos.
- Tocar utensilios, servilletas o recipientes contaminados con el alimento responsable de la alergia.
- Besar en los labios a otras personas que han ingerido el alimento causante de la alergia.
- Inhalar los vapores de cocina que se producen al elaborar el alimento implicado.
- Transferencia del alimento de la madre al niño a través de la leche de mujer.

CAPÍTULO X

Algunos famosos también han sido alérgicos a los alimentos

Sirvan las líneas que vienen a continuación para que si usted, lector, o alguno de sus allegados sufren cualquier tipo de rechazo por parte de su organismo a determinados alimentos, puedan comprobar que este tipo de reacciones, tan incómodas para el que las padece, son tan antiguas como la presencia del hombre en el planeta Tierra. Aunque la alergología sea una rama de la medicina con una andadura científica que a duras penas supera los cien años de vida, no ocurre así con las afecciones de las que se ocupa.

Roma, que fue fundada en el año 753 a.C., alcanzó su máximo esplendor hacia los siglos I a.C. y I d.C., en tiempos de los Césares. El primero de sus emperadores fue Cayo Julio César Octavio Augusto (63 a.C.-14 d.C.), quien al quedar huérfano con tan sólo 4 años fue adoptado por su tío Julio César, que le proporcionó una educación militar. Pronto supo compensar su aspecto débil, pálido y desgarbado, con una clara inteligencia. Suetonio lo describe como «de estatura alta y no delgado, de bella figura y bellos cabellos blancos y de cuello grueso», pero sufría una minusvalía, probablemente debido a un ataque de poliomielitis. Por ello cojeaba, solía sufrir episodios de colitis y dolor abdominal, eccema, bronquitis, epilepsia y además varios tics en la cabeza, oía mal y si se enfadaba le goteaba la nariz y se le formaba espuma en la boca. Cuando fue senador, tenía que leer sus discursos sentado, en vez de estar de pie.

Su salud fue siempre muy frágil, pero, además, sus enfermedades se fueron agravando con el paso del tiempo para convertirse en crónicas y motivar que tuviera que ir acompañado de un médico en todo momento y que sintiera pánico por las corrientes de aire. Por ello apenas bebía, comía frugalmente y era muy austero en sus costumbres.

Durante sus años de gobierno Roma alcanzó gran esplendor y prosperidad, hasta el punto de que el Senado lo elevó, tras su muerte, a la categoría de los dioses. Parece evidente que este ilustre emperador era lo que hoy llamamos los alergólogos un atópico, y probablemente padecía algún tipo de alergia o intolerancia alimentaria que podría justificar las molestias digestivas que padecía.

Ricardo III, rey de Inglaterra (1452-1485), fue el último representante de la casa de York, pues su derrota y muerte en Bosworth supusieron el advenimiento de Enrique Tudor. Al parecer, la leyenda que nos lo presenta como deforme, jorobado y cojo es sólo una invención de Tomás Moro, el célebre autor de *Utopía*, que lo describe así en su libro titulado *El rey Ricardo III*. Pero como ha ocurrido en otras muchas ocasiones con diversos personajes a lo largo de la historia, esa peculiar morfología causó una honda impresión en William Shakespeare, y lo llevó a escribir su célebre tragedia *Ricardo III*.

Volviendo de nuevo al libro de Tomás Moro, este autor da cuenta de un episodio sucedido en el año 1480, antes de que se produjera el acto de coronación del monarca, cuando los lores desearon agradar a Ricardo III sirviéndole una taza de fresas. Pero unas horas más tarde, el Rey reunió a aquéllos, e indignado, se abrió la camisa en su presencia y les mostró el tórax, porque estaba cubierto de zonas enrojecidas que le producían un tremendo picor. Acusó a uno de aquellos lores de tratar de envenenarlo y lo mandó ejecutar de inmediato; nada raro si tenemos en cuenta el carácter violento del personaje. Lo que sí parece claro es que estamos ante un caso de urticaria aguda, y también podríamos suponer que quizá no se tratase de una hipersensibilidad a las fresas, pues como ya hemos comentado con anterioridad al referirnos a la intoxicación histamínica, debido a su alto contenido en histamina es un tipo de alimento que, si se come en exceso, puede originar erupción de ronchas en la piel, aunque la persona afectada no tenga por qué ser alérgica a dicha fruta.

Carlos Eduardo Estuardo —conocido como el Joven Pretendiente, por ser hijo de Jacobo III el Pretendiente— había nacido en 1720, y era nieto de Jacobo II de Inglaterra y sobrino de la reina

Ana. Por derecho de sucesión, era el heredero de ambos soberanos, pero el Parlamento inglés le anuló aquél.

Nos hace saber el doctor Ramón Miquel en su libro *Supera tu alergia* (Ed. Espasa Calpe, Madrid, 1993), que este personaje sufría de lo que en su época llamaron los médicos *flujo sangrante*, es decir, de una diarrea sanguinolenta. Según un cronista de aquellos tiempos llamado Sullivan, «el Príncipe no volvió a beber leche, tomaba agua en vez, y se encontraba desde entonces en un estado envidiable». Podría tratarse de un caso de intolerancia a la leche, que le producía tal grado de inflamación del intestino que le hacía sangrar. Este tipo de afección también puede originarse por otro tipo de alimentos ricos en proteínas, además de la leche de vaca, como puede ser la soja. Sin embargo, en el caso de los niños es la primera la causa más frecuente.

CAPÍTULO XI

El alérgico pregunta y el alergólogo responde. Respuestas sencillas a las preguntas más comunes

¿Qué diferencias existen entre una intolerancia a la leche de vaca y una alergia a la misma?

Mientras que bajo la expresión *intolerancia a la leche de vaca* se agrupan una serie de trastornos muy variados —donde generalmente predominan los síntomas digestivos, originados bien por las proteínas o por los azúcares que contiene dicho alimento, cuyo mecanismo es diverso—, en el caso de la alergia a la leche es el sistema inmunológico, el mismo que nos defiende frente a las infecciones y los tumores, el que se pone en marcha para dar lugar a una serie de trastornos característicos. Entre estos últimos destacan, además de los problemas digestivos, una serie de erupciones cutáneas que se acompañan siempre de picor y episodios de asma bronquial, con la consiguiente dificultad respiratoria, síntomas asociados en muchas ocasiones a estornudos, picor en las fosas nasales, etcétera.

Entre las reacciones inmunológicas destaca, por su mayor frecuencia, la intolerancia a la lactosa —que se aborda en profundidad en el capítulo V del libro, dentro del apartado dedicado a la leche—, la cual obedece a la falta de lactasa en el intestino en cantidad adecuada, pues es la enzima digestiva capaz de digerir la lactosa (azúcar de la leche). Es posible que, con el paso del tiempo, una *intolerancia a las proteínas de la leche de vaca* pueda evolucionar hacia una *alergia a las proteínas de la leche de vaca*, pero lo contrario no es posible que suceda.

¿Cómo y cuándo se manifiesta una alergia a las proteínas de la leche de vaca?

Los síntomas característicos suelen manifestarse en la piel en forma de picor, urticaria (erupción de ronchas) o dermatitis (inflamación de la superficie cutánea, que se manifiesta por enrojecimiento y descamación), hasta en un 70 por ciento de los casos. Entre un 50 y un 60 por ciento aquejarán náuseas, vómitos, diarrea y otras manifestaciones de índole digestiva, mientras que en un 20 y un 30 por ciento de los casos puede haber trastornos respiratorios, como por ejemplo accesos de tos seca, con dificultad respiratoria y pitos en el pecho (asma bronquial). Es muy raro que aparezca una reacción alérgica generalizada y violenta, capaz de comprometer la vida del niño, pero entra dentro de lo posible; es la llamada *anafilaxia*, que precisa de la administración urgente de adrenalina para evitar un desenlace fatal. Los síntomas de una reacción alérgica a la leche pueden aparecer hasta varias horas después de haber efectuado la toma del alimento, sobre todo cuando predominan o se presentan de forma aislada las alteraciones digestivas.

Raramente, la alergia a la leche aparece en la edad adulta, aunque siempre cabe la excepción. En el Servicio de Alergia del Hospital General Universitario Gregorio Marañón tuvimos ocasión de atender a un paciente mayor que ingresó por una pancreatitis aguda, desencadenada por una reacción alérgica a la leche, cuando en la mayoría de los casos dicho problema digestivo se desencadena por la presencia de cálculos en la vesícula biliar. En el caso de los niños, es en los primeros meses o en los cinco primeros años de vida cuando las proteínas de la leche de vaca suelen desencadenar reacciones alérgicas.

¿Cómo puede un niño desarrollar una alergia a la leche de vaca?

El hecho primordial es que exista una predisposición genética para padecer enfermedades alérgicas, pero, además, la mucosa intestinal de los niños es mucho más permeable al paso de moléculas de mayor tamaño que en los adultos, como sucede con las proteínas de la leche de vaca. Es un problema de inmadurez natural de esa barrera que es el intestino, la cual permite que se produzca una mayor absorción de los principios inmediatos presentes en los alimentos (proteínas, hidratos de carbono y grasas). Pero también es posible que sea la leche de mujer, que resulta necesaria para amamantar a la descendencia, el agente que transporta hasta el organismo del bebé pequeñas cantidades de proteínas de la leche de vaca procedentes de la dieta materna. Más excepcional es que dicho aporte pueda producirse hasta el organismo del feto a través de la placenta, durante el periodo del embarazo.

¿Un niño alérgico a la leche de vaca puede comer carne de ternera y queso de cabra o de oveja?

Se ha observado que existen proteínas muy similares a las de la leche de vaca en las que producen otros rumiantes como la cabra y la oveja, que en concreto se han identificado como caseínas. Por ello, un alérgico a la leche de vaca tampoco debe tomarla de otros herbívoros, ni evidentemente debe comer queso. En lo que respecta a la carne de vaca y de ternera, también puede haber cierta similitud de las proteínas de aquéllas con las de la leche, pero la realidad es que la mayoría de los alérgicos a la leche de vaca toleran perfectamente la carne de este animal, al igual que sucede en los alérgicos al huevo de gallina con la carne de pollo.

¿Cuál es la diferencia entre una fórmula láctea hipoalergénica y un hidrolizado?

En tanto que las fórmulas hipoalergénicas se obtienen artificialmente mediante un fraccionamiento o troceado parcial de las proteínas de la leche, en los hidrolizados aquél es más completo, sobre todo si se trata de un preparado extensamente hidrolizado, y no sometido a una hidrólisis parcial. Así se logra modificar mucho más a fondo la estructura de las proteínas presentes en la leche, para que pierdan su capacidad de desencadenar reacciones alérgicas.

¿Es verdad que cuando a un niño alérgico a la leche de vaca se le cambia a leche de soja, tiene más riesgo de hacerse alérgico a esta última?

La soja es una legumbre rica en proteínas, por lo que, teóricamente, es uno de los alimentos con bastante potencial para poder originar reacciones alérgicas en personas predispuestas. Sin embargo, tan sólo causa sensibilización en un 6 por ciento de los niños alérgicos a los alimentos, aunque la probabilidad de que esto suceda es mayor cuando existen alteraciones de la mucosa intestinal como las originadas en ocasiones por las proteínas de la leche de vaca, tanto en intolerantes como en alérgicos a la misma. Además, es posible que algunas leches infantiles puedan contener como aditivo lecitina de soja, y ésta es la causa de que aparezca una sensibilización primaria a la referida leguminosa.

Por lo tanto, actualmente la soja no se considera el alimento sustitutivo idóneo en los sujetos sensibilizados a las proteínas de la leche de vaca, de ahí que la mayoría de los especialistas se inclinen por recomendar fórmulas elaboradas con proteínas de aquélla extensamente hidrolizadas.

¿Desaparece con la edad la alergia a la leche?

Afortunadamente, la sensibilización a las proteínas de la leche de vaca que aparece en los primeros meses de la vida suele ser transitoria. Hasta un 90 por ciento de los niños con este tipo de alergia dejan de tenerla con el paso del tiempo. En concreto, hasta un 56 por ciento la toleran al año, un 77 por ciento alcanzan dicho estado a los 2 años, y hasta un 87 por ciento la ingieren sin problemas cuando cumplen los 3 años. Es posible que, a pesar de que esto suceda, las pruebas cutáneas continúen siendo positivas con las proteínas de la leche, pero esto no quiere decir nada, aunque lógicamente es el alergólogo el que tiene la última palabra para decidir en qué momento resulta óptima la reintroducción del referido alimento en la dieta. En la actualidad, no disponemos de indicadores claros de cuándo un niño puede tolerar la leche de vaca una vez que ha desarrollado una reacción alérgica frente a las proteínas contenidas en aquélla, pero tampoco es preciso esperar a que las pruebas cutáneas se hagan negativas para introducir de nuevo el alimento en la dieta. Lógicamente, las reintroducciones de la leche deben hacerse en cantidades crecientes y siempre en un medio hospitalario, para poder actuar de la manera adecuada y con celeridad si se presenta una reacción alérgica.

Alcanzar los 5 años sin haber logrado la tolerancia de la leche de vaca se considera, por parte de los especialistas, un factor de mal pronóstico, en el sentido de que lo más probable es que a partir de entonces la persona nunca deje de ser alérgica al referido alimento.

¿Puede comer aceitunas un alérgico al polen del olivo?

Dicho polen es la segunda causa en nuestro país, después de las gramíneas —que son unas plantas poco atractivas por estar desprovistas de flores y que podemos reconocer fácilmente en el césped—, de que algunas personas especialmente predispuestas desarrollen síntomas de ojos y nariz y, en algunos casos, episodios de asma bronquial durante los meses de mayo y junio. En Andalucía, que posee el mayor número de este tipo de árboles, la polinización suele ser algo más precoz.

Al igual que los alérgicos al polen de gramíneas, pueden comer sin problemas cereales (son gramíneas cultivadas, a diferencia de las que causan reacciones alérgicas respiratorias, que son silvestres), lo mismo sucede con las aceitunas y el aceite de oliva en los pacientes sensibilizados al polen de olivo.

¿Pueden comer miel los alérgicos al polen?

Algunas personas alérgicas al polen pueden serlo también a la miel, sobre todo cuando están sensibilizadas a pólenes de la familia botánica de las Compuestas, como la artemisa. Ésta es una planta que en el reino vegetal se encuadra entre las malezas o malas hierbas, y que poliniza en agos-

to y septiembre. Algunos de los individuos alérgicos a su polen pueden serlo también a la miel que procede de las Compuestas, así como a las infusiones de manzanilla y a las pipas de girasol. Ello es debido a que estas últimas también pertenecen a la misma familia vegetal. Asimismo, cuando una persona manifieste alergia a la miel tampoco debe de ingerir jalea real.

¿Es cierto que los alérgicos al polen no deben comer ciertas frutas?

Las personas que padecen trastornos oculares, nasales y a veces bronquiales al respirar el polen durante los meses de primavera y verano tienen más propensión para hacerse alérgicos a las frutas. Ello obedece a que los pólenes y las frutas comparten una serie de proteínas, cuya presencia es necesaria para garantizar la supervivencia de las diferentes especies vegetales. A diferencia de los animales, las plantas no poseen un sistema inmunológico de defensa, por lo que evolutivamente han tenido que recurrir a otros mecanismos que les permitan perpetuar su presencia en la Tierra. Es el caso de ciertas proteínas que les sirven para protegerse de agresiones muy variadas, como pueden ser la alta salinidad de los suelos, las elevadas temperaturas y la sequía que tienen que soportar debido al cambio climático que está sufriendo nuestro planeta, así como otras injerencias externas potencialmente nocivas (el ataque de ciertos microbios, la acción de los pesticidas...). Cuando dichas proteínas se expresan en exceso en los vegetales, nuestro organismo puede sufrir —si se dan las circunstancias adecuadas— reacciones alérgicas.

¿Se puede ser alérgico a un alimento crudo y no cocido y puede también suceder lo contrario?

Los alérgenos, que son las porciones de los alimentos que causan las reacciones alérgicas a los mismos, suelen ser proteínas. Algunos de ellos son capaces de originar procesos alérgicos tras haber sido debidamente cocinados, bien porque su estructura molecular permanece inalterable a pesar de haber sido sometidos a altas temperaturas o bien porque, debido a la acción del calor, se forman nuevos alérgenos. Pero, por fortuna, la mayoría de los alimentos pierden su capacidad para causar reacciones alérgicas al ser calentados. Es perfectamente factible que una persona sea capaz de reaccionar únicamente a un alimento cuando está crudo y no cocido, y viceversa.

Actualmente, se ha impuesto la moda de ofrecer en los cócteles alimentos crudos —como el atún marinado o el *carpaccio*—, que en más de una ocasión sirven para proporcionarnos a los alergólogos nuevos pacientes por su contenido en *Anisakis*, unos parásitos del pescado que sólo se mueren cuando el alimento ha sido congelado o debidamente cocinado. Reconozcamos que más de uno de nosotros contemplamos esas «nuevas tapas» con escepticismo y cierto grado de aprensión, pues se alejan de nuestros hábitos alimentarios cotidianos, por mucho que esta nueva corriente gastronómica tan aparentemente rompedora intente imponerse. No en vano fue la «domesticación del fuego» por el hombre primitivo y, en consecuencia, la posibilidad de cocer los alimentos lo que permitió una masticación más cómoda y, por tanto, un menor desarrollo de los músculos de la cara y un mayor crecimiento del cráneo y del cerebro, lo cual contribuyó a la evolución del *Homo sapiens.*

¿Qué alimentos deben evitar los pacientes que padecen urticaria?

Hasta un 20 por ciento de personas sanas pueden sufrir a lo largo de su vida una erupción cutánea de habones o ronchas, sin que exista una causa aparente tras efectuar una investigación exhaustiva con las pruebas pertinentes. Es lo que sucede también cuando la urticaria se hace crónica, es decir, que persiste más de seis semanas según algunos autores, más de ocho según otros, puesto que en un 95 por ciento de los casos no logramos los especialistas hallar tampoco un supuesto culpable del proceso. Sin embargo, la mayoría de los pacientes suelen atribuir el problema a determinados alimentos que ingieren o a los aditivos (antioxidantes, colorantes...) que muchos de ellos contienen. Lo que sí se ha observado en este sentido es que algunos alimentos, debido a su mayor contenido en histamina —el agente químico que en gran parte es responsable del molesto picor que padecen las personas con urticaria—, pueden empeorar la referida afección, pues, a su vez, son capaces de liberar mucha más histamina de la que se halla almacenada en los gránulos del citoplasma de unas células llamadas mastocitos, presentes en gran número en la piel y que intervienen en las reacciones alérgicas. (Véase a este respecto el apartado titulado «La intoxicación histamínica» del capítulo IV del libro —«No es alergia todo lo que parece: el diagnóstico diferencial»—, donde se detallan aquellos nutrientes con mayor carga de histamina).

¿Es cierto que a los bebés no se les deben efectuar pruebas alérgicas con alimentos?

Las técnicas que usamos los alergólogos en la actualidad para efectuar pruebas cutáneas —como el empleo de lancetas de acero inoxidable y desechables con una punta que posee un calibre de sólo un milímetro— permiten aplicarlas a cualquier edad con apenas molestias para el paciente y una gran fiabilidad en los resultados. Aún seguimos recibiendo los especialistas en nuestras consultas a padres con niños bastante mayorcitos, que nos hacen saber que si no han acudido antes es porque el pediatra les ha recomendado que no lo hicieran. Craso error, ya que el único requisito para que los tests cutáneos resulten adecuados en sus resultados es que la piel de la persona sea reactiva; esto se puede comprobar con una gota de histamina, que actuaría así como control positivo.

¿Por qué cuando hay problemas digestivos no se descartan, en primer lugar, las alergias?

En ocasiones, no es fácil diferenciar los síntomas de una intolerancia de los propios de una alergia a alimentos, pues algunos de ellos pueden ser comunes. En el primero de los casos, las pruebas cutáneas con los alimentos supuestamente implicados van a resultar negativas, mientras que si se trata de una alergia, su positividad será la norma. Pero la dificultad de cara al diagnóstico estriba en que algunas manifestaciones tan comunes como las náuseas y los vómitos pueden darse en ambos supuestos, si bien lo más característico en el caso de que la reacción que causa el alimento sea alérgica es que, además, la persona que la sufre tenga picor o erupción en la piel.

¿Cuando se está dando el pecho, puede tener el niño alergias a los alimentos que toma la madre?

En efecto, a través de la lactancia materna puede un bebé con predisposición genética sensibilizarse a determinados alimentos, que a su vez sean capaces de originar en su organismo reacciones alérgicas. Pero este riesgo es mínimo, habida cuenta de los enormes beneficios que aporta la lactancia materna, puesto que la leche de mujer continúa siendo el mejor alimento para el lactante, y le asegura un crecimiento, desarrollo y maduración adecuados.

Tengo un niño de 7 años que es diabético y tiene alergia al pescado. ¿Cómo puedo compensar la falta de este último en su alimentación diaria?

Existen otras muchas fuentes de proteínas adecuadas por su alto valor biológico, como pueden ser los huevos y las carnes de cerdo, de vaca, etcétera. Los pescados azules también aportan ácidos grasos esenciales, de los conocidos como omega 3, que son muy saludables, ya que intervienen en diversas funciones orgánicas. Actualmente muchos productos lácteos contienen ese tipo de ácidos grasos, al haberse demostrado que contribuyen a disminuir los niveles de otras grasas más nocivas para la salud, como los triglicéridos. Lo idóneo, en cualquier caso, es que sea un experto en dietética el encargado de marcar las directrices que se han de seguir, para evitar desequilibrios nutricionales innecesarios.

¿Qué pescados tienen el Anisakis y cómo hay que tratarlos para poder comerlos sin riesgos?

Puesto que el referido parásito es eliminado al mar con las heces de los cetáceos como las ballenas y las focas, tanto los pescados, como los moluscos y los crustáceos pueden ser portadores del mismo. Lo esencial para poder consumir este tipo de alimentos de una forma segura es congelarlos a –20 °C al menos 48 horas o cocinarlos a temperaturas superiores a 60 °C durante 10 minutos.

El salmón envasado al vacío ¿hay que congelarlo por el Anisakis? Cuando me sobra lo pongo en aceite en el frigorífico, pero ¿habría en realidad que congelarlo?

Lo que hay que hacer es congelarlo al menos 48 horas antes de su consumo, y a una temperatura de –20 °C, que nos va a garantizar la destrucción del parásito. Una vez abierto el envase, no hay motivo alguno para no poder guardar el resto que sobre conservado en aceite en el frigorífico, sin necesidad de volverlo a congelar.

¿Las latas de sardinas también pueden tener Anisakis?

Para evitar intoxicaciones alimentarias, las fábricas de conservas enlatadas tienen la obligación de efectuar la cocción de los productos marinos al baño María, por lo que la mayoría de los alérgicos al referido parásito van a poder consumirlo sin que les cause ninguna reacción desagradable. Tan sólo un escasísimo porcentaje de alérgicos al *Anisakis* no toleran los pescados cocidos o congelados.

He desarrollado ahora alergia al gluten. ¿Es el gluten necesario para vivir?

Fue en 1950 cuando el doctor holandés Willem Karel Dicke —que fue director de un hospital infantil en La Haya— leyó su tesis doctoral, donde establecía por primera vez en la historia de la medicina una relación causa-efecto entre el consumo de trigo y de centeno y un tipo especial de intolerancia a dichos cereales llamada *enfermedad celiaca*. A través de sus observaciones fue comprobando cómo esos pacientes dejaban de tener síntomas digestivos al excluir los cereales de la dieta, pero, además, eran capaces de recuperar la talla y el peso. Hoy en día sabemos que son determinadas proteínas, como la gliadina presente en el gluten —que, a su vez, es una sustancia tóxica para el intestino de algunas personas susceptibles y que se halla en las semillas de ciertos cereales como el trigo, la cebada, el centeno y la avena—, las causantes de la enfermedad. Precisamente ésta es una vieja conocida de los médicos, pues ya Areteo de Capadocia, cuya vida transcurrió en el último cuarto del siglo I d.C. y la primera mitad del segundo, describió en sus obras el «estado celiaco» como el caracterizado por un aspecto demacrado, hambriento, pálido y débil, que obedecía a la eliminación fecal de alimentos no digeridos.

Aunque puede haber alergias a los cereales, en el caso del gluten hemos de hablar de intolerancia, y las personas que la padecen pueden vivir perfectamente sanas sin comer trigo, cebada, centeno y avena, porque además toleran bien el maíz, el arroz y la quinoa.

¿El pan puede provocar flatulencias e hinchar el vientre?

Entre las manifestaciones de la llamada *enfermedad celiaca* o *intolerancia al gluten*, podrían figurar esos síntomas. Para efectuar el diagnóstico, hay que practicar una biopsia intestinal, que consiste en obtener una pequeña cantidad de la mucosa afectada mediante una cápsula que traga el paciente, para observar al microscopio el daño sufrido por aquélla. Después de instaurar una dieta de exclusión de los cereales que contienen gluten, habrá que repetir la biopsia, a fin de comprobar que las vellosidades intestinales —que son unos pliegues característicos de la mucosa intestinal necesarios para que los alimentos ingeridos se absorban adecuadamente— han recobrado su aspecto normal.

Mi hija de 26 años es intolerante a la lactosa y al gluten. ¿Podrá algún día comer de todo?

Es obvio que no, ya que la intolerancia a la lactosa consiste en una falta de digestión adecuada de ese azúcar contenido de forma natural en la leche de vaca por la falta de lactasa en la mucosa intestinal, que es la encargada de trocear dicho hidrato de carbono en pequeñas partículas para que pueda ser absorbido adecuadamente. Este tipo de personas pueden consumir, sin ningún problema, leche sin lactosa, que aunque es bastante más cara que la normal está disponible en el mercado. También pueden tratar la leche de vaca tal cual con unas gotas de lactasa, que se venden en las oficinas de farmacia; se añaden a un litro de leche, que se conservará en el frigorífico durante 24 horas, para que dé tiempo a que se pueda digerir la lactosa, y se procederá posteriormente a su consumo.

En cuanto a la intolerancia al gluten, se trata de un proceso que actualmente no tiene cura, por lo que las personas afectadas deben excluir para siempre de su dieta el trigo, la cebada, el centeno y la avena.

Esther, de 27 años, tiene un niño de tres meses y medio al que le da el pecho. El pequeño tiene alergia a la proteína de la leche de vaca. Ella está muy preocupada porque no sabe qué puede hacer en el momento que el bebé deje de mamar.

Existen los llamados *hidrolizados de caseína*, que son unos derivados de la leche de vaca que suelen tolerar ese tipo de pacientes, puesto que en ellos las proteínas se han fraccionado —mediante procedimientos de laboratorio adecuados— en pequeños trozos que las hacen asimilables por los alérgicos a la leche de vaca. En el supuesto de que tampoco se tolerasen dichos preparados, existen en el mercado farmacéutico las llamadas *fórmulas elementales*, preparadas únicamente con aminoácidos, que son los eslabones que constituyen las proteínas.

Me gusta mucho la leche, y bebo cada día casi dos litros. Tengo un bebé de tres meses al que amamanto, y la pe-

diatra dice que el hecho de beber tanta leche le puede causar a él alergia a la proteína de la vaca. ¿Es esto cierto?

En absoluto, ya que no es alérgico quien quiere, sino quien puede. Es crucial que exista una especial predisposición genética para padecer problemas alérgicos, por lo que dichas personas suelen tener antecedentes de este tipo de alteraciones en su familia. Además de la presencia del alérgeno o sustancia capaz de sensibilizar al paciente para causar una reacción alérgica, en este caso las distintas proteínas de la leche de vaca, como la alfalactoal-

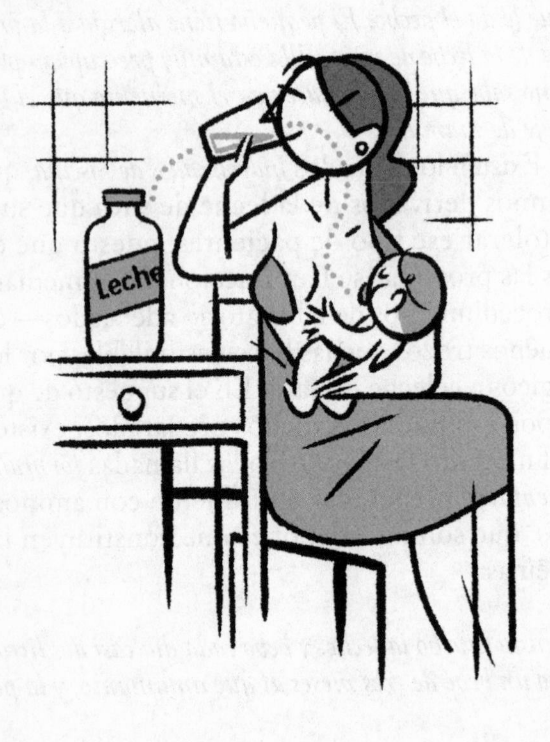

búmina, la betalactoglobulina y la caseína, el terreno tiene que estar abonado. Si el condicionante genético no existe, no se va a poder fabricar en exceso la inmunoglobulina E (IgE), que es el anticuerpo o proteína que interviene en casi todos los procesos alérgicos.

¿Qué tipo de calcio se le puede dar a un niño con alergia a la proteína de la leche de vaca?

Los productos lácteos son abundantes en ese mineral, que también está presente en otros alimentos, como por ejemplo el esqueleto de pescados como las sardinas, e interviene en una serie de funciones del organismo humano imprescindibles para su funcionamiento óptimo. Pero el hecho de que una persona sea alérgica a la leche de vaca y sus derivados no contraindica en modo alguno que pueda ser tratada con calcio si existe una carencia que justifique su empleo.

Mi hija tiene alergia al huevo, y el año pasado le hicieron la prueba de provocación en el hospital. ¿Es normal que este año se la quieran repetir?

Puesto que las alergias a los alimentos en los niños suelen remitir de forma espontánea en la mayoría de los casos, es lógico que periódicamente se intente comprobar la tolerancia de aquellos que el alergólogo estime necesario, pero lo fundamental es que siempre se lleven a cabo ese tipo de estudios en las máximas condiciones de seguridad posibles, para tratar adecuadamente y con rapidez los efectos adversos que pudieran surgir.

Soy alérgica al kiwi. ¿Cómo puedo sustituirlo? ¿Tendré alergia a otros alimentos?

El consumo de esta fruta, que es muy rica en vitamina C, se ha puesto de moda en nuestro país, ya que al poseer un alto contenido en fibra sirve para combatir el estreñimiento. Pero su ingestión no es fundamental, pues existen otros alimentos que también aportan mucha vitamina C, como las fresas y los cítricos (naranja, limón). Lo que sí puede ocurrir es que un alérgico al kiwi tenga más propensión a ser alérgico, además, al látex y otros alimentos cuyas proteínas pueden guardar una similitud estructural con las contenidas en dicha goma natural, como es el caso del plátano. (Véase el apartado dedicado en este libro al síndrome látex-frutas en el capítulo V, titulado «Peculiaridades de las reacciones alérgicas a los distintos grupos de alimentos»).

Tengo colon irritable, y todo me sienta mal. Estoy muy preocupada. ¿Será que soy alérgica a algo?

El llamado *síndrome de intestino irritable* o *colon irritable* se caracteriza por una alteración de la motilidad intestinal que provoca dolor abdominal, alteraciones del ritmo intestinal y de las heces, con alternancia de diarrea y de estreñimiento. Su causa real se desconoce, si bien se ha considerado el componente psíquico y de estrés de algunas personas que lo padecen, las cuales suelen ser excesivamente controladoras y verificadoras. Es relativamente frecuente que muchos de esos sujetos no toleren determinados alimentos como la leche, pero en modo alguno condiciona su padecimiento la aparición de futuras alergias alimentarias.

Tengo alergia al níquel y a las sales de níquel. ¿Es verdad que las judías verdes tienen níquel? ¿Qué otras verduras tienen níquel?

Hasta que llegó la moda del *piercing*, la alergia de contacto a los metales como el níquel, el cromo o el cobalto era típica de mujeres, y se manifestaba generalmente en forma de eccema o inflamación de la piel después del contacto con objetos de bisutería. Actualmente cada vez son más los varones que pueden hacerse alérgicos a ese tipo de metales; de ellos, es el níquel el que causa un mayor número de sensibilizaciones. En este tipo de personas, puede originarse un tipo especial de eccema que se manifiesta por la aparición de pequeñas vesículas con líquido claro en su interior, que asientan en las caras laterales de los dedos y en ocasiones también en las palmas de las manos. Es la llamada *dishidrosis* o *eccema dishidrótico*, que a pesar de su nombre nada tiene que ver con que al individuo que lo sufre le suden más o menos las manos. Aunque es raro, en algunos casos puede haber una mejoría de las lesiones cuando se instaura una dieta exenta de níquel si el paciente es alérgico a dicho metal. Entre los alimentos que pueden contenerlo figuran los enlatados, pero otros muchos pueden albergarlo de forma natural, como es el caso de los arenques, las ostras, los espárragos, el tomate, la cebolla, la zanahoria, los frutos secos y las bebidas alcohólicas.

Capítulo XII

Direcciones útiles en Internet

Asociación Española de Alérgicos a Alimentos-AEPNAA
http://www.aepnaa.org/
Dispone de una serie de consejos útiles por grupos de alimentos.

Asociación Española de Alérgicos a Alimentos y Látex
http://www.aedaal.org/
Dispone de consejos para pacientes alérgicos al látex que además pueden presentar reacciones a ciertos alimentos relacionados con aquél.

Asociación Española de Alérgicos al Látex
http://www.alergialatex.es
Dan una información detallada sobre este tipo de alergia.

Sociedad de Alergólogos del Norte
http://www.alergonorte.org/home.php
En el apartado de consejos para pacientes da información útil sobre cómo seguir una dieta exenta de huevo y, además, ofrece información y consejos para personas alérgicas al *Anisakis*.

Sociedad Española de Alergología e Inmunología Clínica
http://www.seaic.es/pacientes.htm
Dispone de un área para pacientes con consejos de utilidad.

Asociación de Alergología e Inmunología Clínica de la región de Murcia (AlergoMurcia)
http://alergomurcia.com/pacientes/
Ofrece numerosos consejos para pacientes alérgicos y recetas culinarias para personas alérgicas al huevo, a la leche y a los cereales.

Sociedad Madrid Castilla-La Mancha de Alergología e Inmunología clínica
http://www.medynet.com/mclm/nueva/index.htm
En su apartado «Área del paciente», da una información detallada de lo que es la alergia a los alimentos, y proporciona recetas culinarias para este tipo de pacientes.

Unidad de Alergia Infantil del Hospital La Fe de Valencia
http://www.alergiland.com
Presenta una serie de recetas culinarias para pacientes alérgicos al huevo, a la leche...

CAPÍTULO XIII

A modo de conclusión

Decía Plutarco que «los hombres que empezaron a comer carne lo hicieron para no morir de hambre, por pura y gran necesidad». En efecto, resulta asombrosa la enorme capacidad de adaptación de nuestro organismo frente a un reto tan grande como es la introducción, a lo largo de la vida, de ingentes cantidades de elementos extraños a través de la alimentación. Pero, evolutivamente, nuestro sistema inmunológico ha sabido amoldarse perfectamente a tal desafío, poniendo en marcha una serie de mecanismos que garanticen la tolerancia de la mayoría de los nutrientes que incorporamos a nuestra economía a través del acto cotidiano de comer. Las reacciones alérgicas, en contra de lo que algunas personas puedan suponer, no son nuevas para los médicos. Siempre han existido, con la diferencia de que en las últimas décadas su incremento ha sido imparable, en ocasiones por factores que aún se escapan a nuestro conocimiento.

Las alergias alimentarias suelen ser un motivo de consulta relativamente frecuente en los primeros años de la vida, pero por fortuna desaparecen de forma espontánea con el paso del tiempo. Mucho más raras son aquellas que surgen en los adultos, que además, a diferencia de lo que sucede en los niños, no suelen remitir.

Mucho hemos avanzado en el diagnóstico de los pacientes alérgicos a los alimentos, pero es cierto que aún no disponemos de vacunas eficaces, como las que empleamos los alergólogos en nuestra práctica cotidiana para tratar las alergias al polen y a otros agentes medioambientales tan comunes como los ácaros del polvo, aunque la investigación es incesante en este campo y existen experiencias muy meritorias de ciertos grupos de trabajo, para poder hacer frente a un problema cada vez más común en un futuro próximo.

Hoy por hoy la dieta de exclusión es la única medida eficaz que podemos recomendar a este tipo de pacientes, pero en ocasiones es difícil cumplirla porque muchos alimentos manufacturados pueden contener trazas de alimentos a los que un determinado sujeto es alérgico. Gracias a la labor de las asociaciones de consumidores y de pacientes alérgicos se han introducido mejoras notables en el etiquetado de aquéllos, aunque algunos términos siguen resultando confusos para el mejor lector. Esas fuentes ocultas de exposición a determinados alimentos pueden ser, en el caso de personas muy sensibilizadas, un peligro latente, que también existe cuando se ven obligadas a comer fuera de sus hogares. Aquí más que nunca destaca la labor de educación sanitaria que puede hacer el alergólogo en su consulta, para advertir de los posibles riesgos al paciente, o en el caso de los más pequeños, a sus padres, tutores, educadores, etcétera. Hoy la mayoría de los niños se quedan a comer en las escuelas, cuyos comedores deben estar preparados para servir menús adecuados a los que son alérgicos.

Cuando yo inicié mi formación como alergólogo, hace tan sólo 23 años, mi especialidad estaba ajena a una serie de alergias alimentarias que han surgido con posterioridad, cuya trascendencia es indiscutible; sirvan como botón de muestra el *Anisakis*, un parásito presente en todos los mares del planeta, o las alergias a las frutas que desarrollan muchas personas sensibilizadas al látex. Pero lo que ahora está por venir lo tenemos a la vuelta de la esquina, como es el caso de los alimentos

transgénicos y sus posibles repercusiones para la salud. Aún nos queda a los alergólogos un largo camino que recorrer en este terreno, en la seguridad de que el futuro nos deparará más de una sorpresa.

«¿Qué doctor sería ese que, al tratar una enfermedad que no conoce, estuviera tranquilo, sin haber comprendido la naturaleza de esa enfermedad y sus causas ocultas?». Esta frase pertenece a un célebre médico holandés, el doctor Hermann Boerhaave (1688-1738), autor de una curiosa tesis doctoral titulada *Sobre la utilidad del examen de los excrementos de enfermos en busca de signos de la enfermedad*. Eran tiempos en que los médicos examinaban a fondo con sus propios ojos las heces, la orina y todo lo que estuviera a su alcance, por más repugnante que pudiera resultar, para esclarecer las causas de las enfermedades. Hoy los métodos de diagnóstico son mucho más sofisticados, pero en parcelas como la alergia a los alimentos una historia clínica bien elaborada y una observación minuciosa continúan siendo las mejores herramientas de que disponemos.

Un pequeño diccionario alergológico, para comprender mejor todo

Ácaros: son unos artrópodos microscópicos con un aspecto parecido al de las arañas, que habitan generalmente en el polvo y se alimentan de las escamas que se desprenden de la piel de los seres humanos. De ahí que también se denominen las especies más comunes *Dermatophagoides* (*dermatos*, «piel», y *fagos*, «que come»). En los almacenes de grano, en las harinas de cereales y en los piensos para animales pueden habitar otro tipo de ácaros que se llaman *de depósito* o *almacenamiento*, los cuales, a su vez, pueden causar alergia respiratoria cuando son inhalados, pero si se ingieren con alimentos contaminados por ellos también son capaces de generar reacciones alérgicas digestivas, cutáneas...

Aditivos: son una serie de agentes que se añaden a los alimentos para prevenir su deterioro durante el transporte o almacenamiento de los mismos, así como para aumentar o mantener el color original, la textura, el sabor y otras características organolépticas. Existen varios tipos, entre los que destacan los estabilizadores, los colorantes, los edulcorantes, los antioxidantes, los antiapelmazantes, los potenciadores del sabor, los emulgentes...

Adrenalina: también conocida como epinefrina, es una hormona secretada en ciertas situaciones de estrés por las glándulas suprarrenales, que están situadas encima de los riñones, y que acelera el ritmo cardiaco, aumenta la presión arterial, dilata los bronquios y estimula el sistema nervioso central. Actúa sobre unas células que intervienen en los procesos alérgicos llamadas mastocitos o células cebadas, cuya denominación hace alusión al hecho de que su citoplasma está repleto de gránulos que almacenan sustancias responsables de las reacciones alérgicas, como la histamina. Lo que hace la adrenalina es impedir que ese tipo de sustancias puedan ser descargadas al torrente circulatorio por las referidas células, y de esa manera frena de inmediato la reacción alérgica que haya podido ponerse en marcha. Por ello, es el tratamiento de elección en el *shock* anafiláctico.

Alérgeno: es una sustancia, que generalmente suele corresponder a una proteína, capaz de desencadenar en un organismo predispuesto fenómenos alérgicos.

Alérgenos alimentarios ocultos: así se denominan aquellas sustancias capaces de generar una reacción alérgica y que se hallan en alimentos procesados industrialmente, pero que no están especificados en las etiquetas o que figuran con un nombre desconocido o confuso para el consumidor.

Alergia: el creador de este término fue el pediatra austriaco Clemens Peter von Pirquet, quien lo propuso en 1906 para expresar un cambio en el modo de reaccionar de ciertas personas. Procede de *allos*, que significa «otro», y de *ergon*, que en griego es «una desviación del estado original».

Anafilaxia: es un tipo de reacción alérgica que se caracteriza por el compromiso simultáneo de distintos órganos como el aparato digestivo (dolor abdominal, náuseas, vómitos, diarrea...), el aparato respiratorio (estornudos, dificultad respiratoria bien por hinchazón de la garganta o de la laringe o debido a que se estrechan los bronquios, tos, opresión y dolor en el pecho...), la piel (urticaria, angioedema), etcétera. En algunos casos, afecta también al aparato cardiovascular, se altera el ritmo cardiaco y puede haber un descenso brusco de la tensión arterial, con el consiguiente riesgo para la persona afectada de sufrir una pérdida del estado de consciencia; es lo que se denomina *shock* anafiláctico.

Anafilaxia alimentaria inducida por el ejercicio: es una reacción alérgica severa que ocurre cuando el paciente realiza ejercicio físico en las cuatro horas siguientes a la ingestión de alimentos, y sin embargo tolera los mismos alimentos si permanece en reposo tras la comida. En general el ejercicio aeróbico es el que suele inducir anafilaxia, y los alimentos más implicados en estos cuadros son los frutos secos, los mariscos, la leche, las frutas y otros alimentos vegetales como los cereales.

Angioedema: es una hinchazón de la piel o de las mucosas (lengua, labios...), que puede tener un origen alérgico y también se llama *edema de Quincke*, pues fue el médico alemán Heinrich Irenaeus Quincke quien, en 1882, primero describió dicha afección, a la que dio el nombre de *edema angioneurótico*.

Anisakis: es un parásito que albergan los pescados, los moluscos y los crustáceos, y cuando sus larvas atraviesan la pared del estómago originan un dolor muy intenso que provoca náuseas y en ocasiones vómitos. También pueden asociarse otros síntomas como erupción de ronchas en la piel (urticaria), hinchazón cutánea e incluso reacciones más severas, con sensación de mareo y desvanecimiento por disminución de la tensión arterial (*shock* anafiláctico).

Anticuerpo: sustancia de tipo proteico que produce el organismo contra otra que es ajena al mismo (antígeno), al no reconocerla como propia. En el caso de las reacciones alérgicas, los antígenos se denominan alérgenos.

Antihistamínico: medicamento que antagoniza el efecto de la histamina, una sustancia química que poseemos de forma natural en el organismo y que interviene en las reacciones alérgicas.

Asma bronquial: proceso inflamatorio de los bronquios que se caracteriza por una disminución del calibre de los mismos debido a la contracción de unos músculos que los rodean y a la presencia en su interior de mucosidades y un exceso de líquido (edema); se manifiesta por accesos de tos seca, pitos en el pecho, sensación de opresión torácica dolorosa y dificultad respiratoria.

Asma de los panaderos: es un conjunto de síntomas que aparecen en personas que trabajan en la elaboración de pan y productos de pastelería y bollería, las cuales sufren episodios de dificultad respiratoria, tos y pitos en el pecho durante su actividad laboral por la inhalación de harina de cereales a los que llegan a hacerse alérgicos con la exposición repetida.

Atopia: fue en 1923 cuando el médico neoyorquino Arthur Fernández Coca acuñó el término *atopia* para referirse a la tendencia de algunos sujetos a padecer determinados procesos como la rinitis alérgica, el asma bronquial o determinadas afecciones de la piel, síntomas en los que —según el especialista— existía un componente hereditario que favorecía su aparición. La voz *átopos* tiene varias acepciones en griego, ya que significa «no en el mismo lugar, inhabitual, raro, paradójico». Hoy en día, los alergólogos seguimos llamando *atópicos* a aquellas personas que tienen un condicionante genético para el desarrollo de una serie de procesos de hipersensibilidad frente a sustancias ambientales comunes como el polen, los ácaros, los alimentos, etcétera, las cuales presentan pruebas cutáneas positivas frente a dichos agentes.

Dermatitis atópica: es una enfermedad de la piel que se caracteriza por enrojecimiento, picor, aparición de vesículas o ampollas *(véase **Eccema**)*, exudación de líquido, formación de costras y descamación. Generalmente comienza en la infancia, y se manifiesta en personas con una especial predisposición hereditaria para el padecimiento de procesos alérgicos (atópicos).

Dermografismo: es un tipo de urticaria que se caracteriza por la erupción de ronchas en la piel tras el roce, el rascado o la presión mantenida.

Dieta de eliminación: consiste en dejar de consumir durante un tiempo el alimento o grupo de alimentos a los que una determinada persona puede estar sensibilizada, pues así se produce por parte del organismo una pérdida de la capacidad de reaccionar ante su presencia, pudiendo llegar a tolerarlo cuando lo come de nuevo.

Eccema: la palabra *eccema* o *eczema* es de origen griego y deriva del verbo *ekzeo*, que significa «hacer hervir». Alude a la aparición de vesículas (pequeñas elevaciones de contenido líquido) o de ampollas en la piel, como sucede con las burbujas cuando calentamos un líquido. *Eccema* y *dermatitis* se consideran sinónimos.

Enfermedad celiaca: es una intolerancia del intestino a un grupo de proteínas que se encuentran en determinados cereales, a las que se designa genéricamente con el nombre de gluten. Suele comenzar en la infancia y se manifiesta en los niños por una pérdida del apetito, diarreas, episodios de llanto o malhumor y una dificultad para crecer al ritmo que sería deseable.

Esofagitis eosinofílica: es un trastorno poco frecuente, que se caracteriza por una inflamación de la mucosa del esófago, causada por unas células que intervienen en los procesos alérgicos llamadas eosinófilos, que provoca dificultad para tragar, vómitos, regurgitaciones hacia la boca del contenido alimenticio del estómago, sensación de ardor, quemazón y dolor detrás del esternón. En algunas ocasiones puede estar originada por una alergia alimentaria.

Fiebre del heno: término acuñado por el médico homeópata inglés John Bostock (1773-1846) para describir el catarro que él mismo padecía en una determinada época del año, pero que resulta impropio en la actualidad ya que el heno no provoca fiebre ni tampoco es la causa de la *polinosis*, que es como se conoce la inflamación de la conjuntiva y de la mucosa nasal que padecen los individuos alérgicos al polen.

Homeopatía: término acuñado en 1790 por el doctor alemán Samuel Hahnemann —que además era químico, toxicólogo y un experto lingüista—, el cual deriva del griego *homeo* («semejante») y *pathos* («enfermedad»). Se trata de una rama de la medicina que se basa en que los medicamentos son capaces de curar síntomas similares a los que pueden producir. A diferencia de la alopatía, que es la medicina convencional, la homeopatía intenta estimular la capacidad de reacción del enfermo para que combata la enfermedad con sus propias defensas, en vez de debilitar aquéllas. Para ello, los homeópatas emplean medicamentos muy diluidos, que pueden ser de origen animal (como los venenos de serpiente), mineral (sal común, metales...) o vegetal (plantas o líquenes).

Inmunoglobulina E: es el anticuerpo que interviene en las reacciones alérgicas.

Intolerancia a la lactosa: es un trastorno que afecta a aquellas personas que carecen en su intestino de la cantidad necesaria de la enzima lactasa, la cual es necesaria para descomponer el azúcar lactosa contenido en la leche en fragmentos de menor tamaño, que puedan ser absorbidos por la mucosa intestinal. En consecuencia dicha sustancia acabará fermentando en el intestino, al no lograr atravesar su pared, y causará diversos trastornos en forma de náuseas, flatulencia, distensión abdominal, diarrea, retortijones...

Intolerancia alimenticia: reacción nociva desencadenada por alimentos en la que no se ha podido demostrar que intervenga nuestro principal elemento de defensa, el sistema inmunológico.

Látex: es una goma natural que se obtiene de la savia de un árbol del Amazonas llamado *Hevea brasiliensis*. Sirve para la elaboración del caucho, que luego se emplea para fabricar neumáticos, guantes, globos, preservativos y material sanitario diverso. En los últimos años han aumentado de forma notable, sobre todo en personal sanitario, los casos de reacciones alérgicas, potencialmente graves, a dicho producto.

Mediadores químicos de la inflamación: son las sustancias que se liberan de unas células especializadas llamadas basófilos y mastocitos, en el transcurso de una reacción alérgica; de estas sustancias, la más conocida es la histamina.

Polen: los granos de polen son las estructuras reproductoras masculinas de las plantas con semilla, que en determinadas épocas del año cumplen su función y que al dispersarse por la atmósfera causan en algunas personas susceptibles cuadros de estornudos, destilación acuosa nasal, picor de ojos y de nariz, tos, episodios de asma...

Prebióticos: son sustancias que no pueden ser digeridas por el organismo, sino que sirven de alimento para grupos específicos de bacterias que están habitualmente en el intestino. Con su empleo podemos conseguir que las bacterias que nos interesan aumenten su crecimiento, mientras disminuye el de aquellas que no son tan beneficiosas para el ser humano. La raíz de la achicoria es una de las principales fuentes de inulina y oligofructosa, destacados prebióticos, aunque también pueden encontrarse en otras frutas y verduras, como la cebolla, el plátano, el ajo o los espárragos.

Probióticos: microbios vivos que implican un beneficio para la salud, como los lactobacilos y las bifidobacterias, puesto que son un tipo de bacterias que tienen la capacidad de poder adherirse al revestimiento interior de la mucosa intestinal, para formar una barrera protectora contra otras bacterias y gérmenes que por su carácter nocivo pueden provocar enfermedades.

Prueba de provocación: consiste en que el paciente vuelva a exponerse al agente al que supuestamente es alérgico en presencia del alergólogo, para confirmar su especial sensibilidad al mismo; está indicada cuando las pruebas cutáneas y la determinación en sangre de la IgE específica, que es la proteína responsable de las reacciones alérgicas, hayan resultado negativas pero la historia del paciente es compatible con la sensibilización a un determinado agente productor de la reacción alérgica (alérgeno). En el caso de los alimentos y de los medicamentos, existe el riesgo de que la reacción alérgica que se desencadena pueda ser de mayor severidad que la experimentada previamente.

Prurito: sinónimo de picor, que induce al rascado.

Rinitis: inflamación de la mucosa nasal que se manifiesta por picor de nariz, sobre todo cuando es de origen alérgico, estornudos, mucosidad (acuosa, si es alérgica) y obstrucción al paso del aire a través de las fosas nasales (congestión).

Shock* anafiláctico:** *véase* ***Anafilaxia.

Síndrome de alergia oral: consiste en la aparición de picor en la boca o en la garganta de forma inmediata cuando se ingiere un alimento al que un determinado individuo es alérgico, generalmente frutas, y puede acompañarse de enrojecimiento de los labios o del área de la piel que circunda la boca y de hinchazón de aquéllos.

Síndrome del restaurante chino: reacción adversa producida por un saborizante empleado en la cocina asiática llamado glutamato monosódico, que en personas predispuestas puede ocasionar sensación de entumecimiento y adormecimiento, debilidad, palpitaciones en el corazón, sofocos y sensación de ardor en el cuello y en la espalda, enrojecimiento generalizado, sudoración, sensación de presión, hormigueo y debilidad en la cara, opresión en el pecho, náuseas, vómitos, etcétera.

Síndrome látex-frutas: hace referencia a que muchos pacientes alérgicos al látex acaban manifestando, con el paso del tiempo, episodios alérgicos tras la ingestión de determinados alimentos de origen vegetal como el plátano, el kiwi, el aguacate, la papaya, la castaña, la fruta de la pasión (maracuyá), el mango, el higo, la piña o el tomate. Tan curioso fenómeno obedece a que el látex, que se obtiene de la savia del árbol del caucho *(Hevea brasiliensis)*, posee proteínas idénticas a las existentes en otros muchos integrantes del reino vegetal.

Sulfitos: son unos aditivos, que se nombran con las siglas E220 a E227, y se añaden como conservantes a ciertos alimentos para inhibir el crecimiento bacteriano y con el fin de prevenir la aparición de un aspecto amarronado de los mismos debido a su acción antioxidante, como sucede con los mariscos, las frutas —especialmente las peras y las manzanas— y ciertas hortalizas, como la patata, una vez peladas. Pero, además, los sulfitos se producen de forma natural durante la fermentación de vinos y cervezas por la acción de levaduras, por lo que pueden formar parte de ese tipo de bebidas alcohólicas y también de la sidra, el vinagre y el mosto. Su presencia es más elevada en los vinos blancos y espumosos, como el cava y el champán, que en los tintos. Los pacientes alérgicos a los sulfitos pueden desarrollar, tras su ingestión, episodios de dificultad respiratoria, estornudos y destilación acuosa nasal, erupción de ronchas por la piel, hinchazón de la misma (angioedema), etcétera.

Transgénico: también llamado *organismo modificado genéticamente*, es un tipo de alimento cuyo material genético o cromosomas han sido alterados de tal modo por la mano del hombre que ya no aparecen en las estirpes silvestres de modo natural. Algunos genes que se introducen en dichos alimentos intentan que las plantas puedan defenderse mejor contra los parásitos y las plagas, pero con el consiguiente riesgo para el ser humano de que puedan desencadenar en su organismo reacciones alérgicas.

Urticaria: fue el romano Aulus Cornelius Celsus (53 a.C.-7 d.C.) el primero que comparó una erupción cutánea que ocasionaba picor y sensación de ardor con las lesiones que se originaban en la piel tras el contacto accidental con las ortigas *(Urtica urens)*. Estas plantas poseen unos pelos que recubren sus hojas y que originan unas elevaciones características en la piel que se acompañan de mucho picor, llamadas ronchas o habones.

